LAIS DE

Lais de
Marie de France

TRADUCTION DE LAURENCE HARF-LANCNER

LE LIVRE DE POCHE
Classiques

Ouvrage réalisé sous la direction de Michel Zink.

© Librairie Générale Française, 1990 et 1998.

ISBN : 978-2-253-09845-4 – 1re publication LGF

INTRODUCTION

De l'auteur des *Lais*, on ne sait rien, à peine un nom, mentionné dans le lai de *Guigemar* : « Ecoutez donc, seigneurs, les récits de Marie, qui tient sa place parmi les auteurs de son temps. » Une autre Marie est l'auteur, vers 1180, d'un isopet, un recueil de fables ésopiques, adapté en français d'une version anglaise. Parmi ces fables, les plus célèbres de la tradition ésopique, que l'on retrouvera dans les *Fables* de La Fontaine : *Le Loup et l'Agneau*, *Le Corbeau et le Renard*, *La Cigale et la Fourmi*, etc. Le recueil se clôt sur cette indication : « À la fin de ce texte, que j'ai rédigé en français, je vais donner mon nom pour qu'on s'en souvienne : j'ai nom Marie et je suis de France. » Enfin, un troisième texte, *Le Purgatoire de saint Patrice* (vers 1190), traduction d'un traité latin de Henri de Saltrey, est également signé par une Marie, qui dit avoir traduit l'ouvrage en *roman*, c'est-à-dire en langue romane, en français, afin de le rendre accessible aux laïcs ignorants du latin : « Moi, Marie, j'ai mis en mémoire le livre du *Purgatoire*, en français, pour qu'il soit accessible et compréhensible aux laïcs. » Selon ce récit, Jésus aurait montré à saint Patrick, évangélisateur de l'Irlande, une fosse dans un lieu écarté : tout pénitent qui accepterait de passer un jour et une nuit dans la fosse serait lavé de ses péchés. Le chevalier Owein décida de tenter l'aventure. Au fond de la fosse, il affronta les démons, découvrit le Purgatoire, l'Enfer et le Paradis terrestre. À son retour, il raconta sa vision et termina saintement ses jours.

Le *roman* désigne ainsi d'abord une langue, le français, puis une œuvre écrite dans cette langue, avant de s'attacher à la forme littéraire qui va s'épanouir au cours de ce XIIe siècle. Trois œuvres sont donc signées du nom de Marie. Les *Lais* (vers 1170) sont de courts poèmes narratifs qui se présentent comme la transcription de contes bretons. D'après les prologues des différents récits du recueil, des aventures prodigieuses, du temps des anciens Bretons, ont donné naissance à des contes, puis à des lais : « Je vais vous raconter en peu de mots les contes dont je sais qu'ils sont vrais, les contes dont les Bretons ont tiré leurs lais » (*Guigemar*). Le lai lui-même est une composition musicale (du celtique *laid*, chanson) que l'on exécute à la harpe. Et le travail de Marie est de faire passer de l'oral à l'écrit les contes populaires qui ont donné naissance aux lais : « J'en connais moi-même beaucoup et je ne veux pas les laisser sombrer dans l'oubli. J'en ai donc fait des contes en vers, qui m'ont demandé bien des heures de veille » (*Prologue*). Puis les récits attachés à ces compositions musicales ont eux-mêmes été désignés comme *lais*.

Les trois œuvres ont été composées à la fin du XIIe siècle, par un auteur lié à l'Angleterre. Henri de Saltrey, dont Marie traduit l'œuvre, est un cistercien anglais. Les *Fables* sont tirées d'un isopet anglais et dédiées à un comte Guillaume que l'on tend à identifier à Guillaume de Mandeville, comte d'Essex et compagnon de Henri II. Le « noble roi » à qui est dédié le recueil des *Lais* semble bien être Henri II Plantagenêt, roi d'Angleterre (1154-1189). Dans les trois cas, l'auteur se présente comme un traducteur qui veut sauver des textes condamnés sans lui à l'oubli : traduction de latin en français pour le *Purgatoire*, d'anglais en français pour les *Fables* ; passage de l'oral à l'écrit pour les *Lais*. Il est donc vraisemblable que les trois Marie n'en sont qu'une seule, mais on ne peut l'affirmer. Rien ne prouve non plus que ces lais dont on a parfois vanté l'écriture féminine ont bien été composés par une femme, même si des miniatures soulignent ce trait en représentant une femme assise, la plume à la main, à sa table de travail.

La cour de Londres est alors le plus brillant foyer intellectuel du monde occidental. Duc de Normandie, comte d'Anjou, duc d'Aquitaine par son mariage, en 1152, avec Aliénor d'Aquitaine (séparée d'avec le roi de France Louis VII), roi d'Angleterre en 1154, Henri II est le plus puissant prince de l'Occident chrétien et la cour de France ne saurait rivaliser avec le rayonnement de la cour d'Angleterre. La cour royale, nouvelle réalité sociale et culturelle pour le XIIe siècle, attire les intellectuels, qui cherchent à y faire carrière. On voit s'y épanouir la littérature en langue latine mais aussi et surtout une littérature *courtoise* en langue vulgaire, à la gloire de la chevalerie qui se constitue alors en classe. Les premiers romans en langue française, autour de 1160, cherchent leur inspiration dans l'épopée antique : *Le Roman de Troie* de Benoît de Sainte-Maure, *Le Roman de Thèbes* et *Le Roman d'Eneas* (sans compter *Le Roman d'Alexandre*, à la frontière de la chanson de geste et du roman). Benoît de Sainte-Maure vit à la cour de Londres et dédie son œuvre à la reine Aliénor ; l'auteur du *Roman de Thèbes* semble poitevin, celui du *Roman d'Eneas* normand. On a d'ailleurs émis l'hypothèse que les trois romans s'inscrivaient dans le même cadre politique et culturel, le royaume anglo-normand. C'est là également que naissent la vogue de la matière de Bretagne, le mythe du roi Arthur et des chevaliers de la Table ronde, autour d'une tradition orale celtique très vivace, de contes merveilleux qui mènent leurs héros dans un autre monde féerique dont ils conquièrent, par leur valeur, les belles habitantes. Les lais de Marie de France et les lais anonymes composés parallèlement attestent le succès de ces récits dans les milieux aristocratiques du XIIe siècle. En même temps, à la cour de Champagne, Chrétien de Troyes compose pour la comtesse Marie, fille d'Aliénor d'Aquitaine, les premiers romans bretons, construits sur les mêmes scénarios mythiques que les lais féeriques : *Erec et Enide*, *Le Chevalier au lion (Yvain)*, *Le Cheva-*

lier de la Charrette (Lancelot) et *Le Conte du Graal (Perceval)*. Dans cette littérature romanesque composée pour les cours seigneuriales s'élabore un idéal nouveau, l'idéal *courtois*, qui glorifie des valeurs nouvelles : politesse raffinée, mesure, largesse, culte de la femme.

Seul un manuscrit de la seconde moitié du XIIIe siècle (le manuscrit Harley 978 de la British Library de Londres) contient l'ensemble ici présenté : le prologue et les douze lais. Quatre autres manuscrits offrent un ou plusieurs lais. On voit que les incertitudes qui planent sur l'auteur pèsent également sur son œuvre. Rien ne permet d'affirmer que ce recueil est l'œuvre d'un seul auteur : les douze lais peuvent avoir été regroupés par un compilateur qui les aurait choisis parmi des lais dispersés (dont certains de Marie ?), et aurait décidé de leur ordre. Seule l'unité de ton, d'intention et de style qui s'affirme dans les douze poèmes pousse à les attribuer à un unique auteur, Marie, qui les aurait réunis et présentés dans ce prologue-dédicace où elle justifie son projet de « rassembler des lais et de les raconter en vers ». Mais bien des lais anonymes s'alimentent aux mêmes sources folkloriques que les douze poèmes de ce recueil : les lais de *Graelent* et de *Guingamor*, inséparables du lai de *Lanval*, content les amours d'un mortel et d'une fée : Graelent et Guingamor sont attirés dans l'autre monde par un animal merveilleux, blanche biche ou sanglier blanc, qui rappelle la biche blanche aux bois de cerf du lai de *Guigemar*. Graelent et Guingamor, comme Lanval, sont poursuivis par une reine amoureuse, avatar de la femme de Putiphar qui sollicite l'amour de Joseph, dans la Genèse, et se venge de son refus. Graelent, comme Lanval, trahit la confiance de la fée et perd son amour. Les trois héros disparaîtront dans l'autre monde, seule patrie des amours parfaites. Mélion le loup-garou est victime, comme le Bisclavret, de la perfidie de sa femme, qui veut le condamner à garder sa forme animale. Doon, comme Milon, affronte dans un tournoi, sans le savoir, le fils qu'il n'a jamais vu. Les premiers éditeurs de Marie ont d'ailleurs été tentés de lui attribuer certains de ces lais. Mais la plupart de ces récits, plus tardifs, semblent exploiter à la fois la tradition populaire et les poèmes de Marie.

On a pu retrouver dans bien des lais la thématique mais aussi la structure des contes populaires : Marie se réfère d'ailleurs sans cesse à des sources orales et situe ses récits en Bretagne (à l'exception de *Lanval*, inscrit dans un cadre arthurien, et des *Deux Amants*, légende normande encore vivante aujourd'hui, attachée au Mont des Deux Amants, près de Pîtres). On ne s'étonnera donc pas de retrouver dans certains lais la structure de contes merveilleux. *Lanval* et *Yonec* content l'union d'un mortel et d'un être surnaturel, selon un scénario universel :

– Exclus par les leurs, Lanval et la mal mariée du lai d'*Yonec* trouvent le bonheur auprès d'un être surnaturel aussi longtemps qu'ils préservent le secret sur leur amour.

– Tous deux transgressent l'interdit et perdent leur amour.

– Les deux couples seront finalement réunis dans la mort. Muldumarec et son amie sont ensevelis dans le même tombeau. Et la disparition de Lanval en Avalon, l'île des fées, place les retrouvailles des amants sous le signe de la mort.

La version la plus célèbre de ce conte type est l'histoire de la fée Mélusine, qui épouse un mortel, Raimondin, à la condition qu'il ne la voie jamais le samedi, jour de sa métamorphose en serpente. Comme toujours, le héros transgresse l'interdit et perd la fée, qui lui laisse cependant de nombreux fils, à l'origine du lignage de Lusignan.

L'histoire du Bisclavret a pour héros un loup-garou, victime de la perfidie de sa femme, qui le condamne à conserver à jamais sa forme animale. Le loup, recueilli par un roi, retrouve finalement sa forme humaine et se venge de sa femme criminelle. Il s'agit là encore d'un conte type, dont la version la plus connue est l'aventure de Sidi Numan dans *Les Mille et Une Nuits* : une sorcière se débarrasse de son mari en le transformant en chien (en loup dans certaines versions) ; le mari retrouve sa forme humaine et se venge.

Dans le lai de *Guigemar* surgissent deux thèmes folkloriques indissociables de la mythologie du roman breton : la chasse au blanc cerf et la nef magique. Au cours d'une partie de chasse, Guigemar voit surgir une biche blanche aux bois de cerf qui lui prédit son destin : aimer une femme qu'il trouvera au prix de longues souffrances.

Cette chasse merveilleuse prélude à l'aventure surnaturelle, à la rencontre de la fée. Erec ne découvre-t-il pas Enide, dans le roman de Chrétien de Troyes, au terme d'une chasse au blanc cerf, tout comme Graelent et Guingamor, les héros des deux lais anonymes, qui sont entraînés par l'animal blanc dans le domaine d'une fée amoureuse ? Et c'est une nef sans pilote qui amène Tristan à Iseut, et au soir de sa vie, le roi Arthur auprès de la fée Morgane qui l'attend en Avalon.

Bien d'autres motifs folkloriques ont été relevés : le thème de Peau d'Âne, sous-jacent dans *Les Deux Amants*, avec l'amour excessif du roi pour sa fille ; le nœud à la chemise et la boucle de la ceinture dans *Guigemar* ; la Belle au bois dormant et les croyances attachées à la belette (*Eliduc*) ; la biche qui parle à son bourreau (*Guigemar*).

Mais tout le charme des *Lais* réside dans l'intégration de ces thèmes à un univers poétique à nul autre semblable et lié au terme clé d'*aventure*. L'aventure est un point de rupture entre réel et surréel, un événement extra-ordinaire qui rompt la trame de la réalité. Elle peut se traduire par l'irruption du merveilleux dans le récit. Guigemar, qui a blessé une biche aux bois de cerf, entend celle-ci lui révéler son destin ; la prophétie commence à se réaliser quand il pénètre dans une nef mystérieuse qui, privée de pilote, l'amène à celle qui lui fera découvrir l'amour et dont, dans un conte merveilleux, la biche ne serait que l'avatar. Le héros, qui s'est émerveillé devant la prodigieuse richesse du navire, et qui voit celui-ci soudain en haute mer, comprend « qu'il lui faut pourtant subir cette aventure », cette aventure qui lui fera découvrir l'amour, le séparera de son amie avant de la lui rendre, quand il aura assez souffert : « Belle, dit-il, c'est une merveilleuse aventure qui m'a permis de vous retrouver ici ! »

L'aventure peut aussi, sans basculer dans le surnaturel, introduire le héros dans un monde idéal où l'amour impossible aura enfin sa place. Le héros du *Rossignol* reçoit le cadavre de l'oiseau, qui semble signer la mort de son amour : « L'aventure le remplit de chagrin ». Mais bien vite, immortalisant le rossignol en l'enfermant dans une précieuse châsse, il retourne le sens de l'aventure, qui lui permet de préserver à jamais son amour perdu.

Cet univers s'inscrit pourtant dans le monde féodal du XIIe siècle. Le procès de *Lanval* correspond à la pratique judiciaire de l'époque. Goron, l'amant de Frêne, et Equitan sont contraints au mariage par la coalition de leurs vassaux, qui sont en droit d'attendre de leur seigneur un héritier légitime pour lui succéder. Guigemar apprend le métier des armes chez son suzerain, qui se charge de son adoubement. Plus tard, allié de Mériaduc, il répond à son appel pour l'aider dans la guerre qu'il a entreprise. Eliduc, chassé par son seigneur, connaît le sort peu enviable des chevaliers mercenaires qui doivent vivre de leur épée. Suzerains et vassaux sont pris dans un tissu serré d'obligations réciproques. Equitan, cédant à son amour pour la femme de son sénéchal, se rend coupable de félonie envers son vassal, alors que Lanval cache son désintérêt pour l'amour de la reine derrière les obligations vassaliques. Eliduc, rappelé par le roi de Bretagne, est pris entre son devoir envers son seigneur lige, et le serment d'allégeance prêté à Exeter, au père de Guilliadon; entre son amour pour la jeune fille et la loyauté qu'il doit au père. Mais délié de son engagement à l'égard du seigneur d'Exeter, il n'a plus aucun scrupule à venir enlever Guilliadon.

Trouve-t-on dans les *Lais* une problématique de l'amour ? Marie conte avant tout pour le plaisir de conter et le récit n'est jamais prétexte à poser un problème de casuistique amoureuse, comme ceux sur lesquels on aimait rendre jugement à la cour de la comtesse de Champagne. Mais dans leur diversité, les poèmes fournissent la matière d'une véritable réflexion sur l'amour. Guigemar serait un chevalier parfait s'il ne méprisait pas l'amour : « Il ne donnait pas même l'impression de vouloir connaître l'amour. Et ce refus lui était reproché comme une tare par les étrangers comme par ses propres amis. »

Le narrateur exprime explicitement la réprobation que lui inspire la conduite du héros, réprobation attribuée ensuite à l'ensemble de la communauté : les étrangers et les amis. Derrière cette condamnation unanime affleure le soupçon d'homosexualité. Ce refus de l'amour, lié à la passion de la chasse, laisse apparaître derrière le héros une figure de la mythologie grecque, liée également à la chasse et au rejet de l'amour : celle d'Hippolyte. Guigemar, comme Hippolyte, incarne le refus du passage à l'âge adulte. En outre, comme Hippolyte, voué au culte d'Artémis, Guigemar est destiné à l'apparition de la biche blanche. Lanval est lui aussi un héros de la différence : le roi l'exclut une première fois de la cour, involontairement, en l'oubliant dans sa distribution des dons. Puis, après la rencontre de la fée, la société humaine s'acharne sur lui : la reine repoussée l'accuse d'homosexualité puis d'outrage ; la cour le condamne au bannissement s'il ne peut montrer la femme à la beauté merveilleuse dont il se vante d'être l'ami. Ces héros sont voués, par leur dissemblance, à des amours surnaturelles.

La faute de Lanval, c'est-à-dire la violation du secret, motif central des contes mélusiniens, est aussi, dans une interprétation courtoise, une faute contre l'amour : l'amant ne doit jamais se vanter de son amour. Cette faute même provoquera la mort des deux amants dans une nouvelle qu'on a souvent rapprochée de *Lanval*, *La Châtelaine de Vergi*, dont le héros a pour amie une dame qui exige de lui le secret. Imprudemment, il se confie à son seigneur, qui trahit à son tour le secret à son épouse : celle-ci, par dépit amoureux, révèle la trahison à la châtelaine de Vergi, qui en mourra.

Quant à l'amie du chevalier-oiseau, dans *Yonec*, elle commet une autre faute : dans son désir de voir sans cesse son amant, elle oublie de *garder la mesure*, provoquant la découverte du secret et la mort du chevalier-oiseau. L'union des amants ne se réalisera que dans la mort, comme dans *Le Chè-vrefeuille*, emblème du mythe de Tristan, comme dans *Lanval*, car qu'est-ce que la merveilleuse île d'Avalon sinon la vision euphémique du monde des morts ?

L'histoire d'Equitan, ce roi qui, par amour pour la femme de son sénéchal, en vient à comploter la mort du mari gênant et à périr brûlé, avec sa maî-tresse, dans le bain d'eau bouillante préparé pour le mari, est un conte noir dans lequel la frontière entre lai et fabliau apparaît bien imprécise. La pré-sence d'une morale explicite dans ce seul lai, qui rappelle celles des fables, est d'ailleurs significa-tive : « (...) celui qui cherche le malheur d'autrui voit le malheur retomber sur lui. » Et *Le Malheu-reux* ? On serait tenté de le rapprocher des jugements rendus par de grandes dames, parmi lesquelles la reine Aliénor et la comtesse de Champagne, sur les méandres de l'amour courtois, jugements rapportés par André le Chapelain dans son *Traité de l'amour courtois*, composé vers 1186, peut-être à l'instigation de la comtesse de Champagne. Le lai, construit sur l'épineuse ques-tion de savoir qui est le plus à plaindre, de la dame qui a perdu ses quatre amants à la fois, ou du survivant, que ses blessures empêchent de jouir de l'amour de sa dame, semble bien parodier ces doctes jugements. C'est que Marie n'est pas, comme Chrétien de Troyes, un auteur courtois, et ne cherche pas à défendre une morale. Les héros des *Lais,* comme ceux des contes populaires, sont en quête du bonheur : ils le trouveront dans l'amour, telles les mal-mariées de *Guigemar*, d'*Yonec*, du *Rossignol*. Mais cet amour est indissociable de la souffrance, souffrance purificatrice qui permettra aux amants de *Guigemar*, du *Frêne* et de *Milon* d'être enfin réunis en ce monde. Les autres couples seront réunis dans la mort (*Yonec*, *Lanval*, *Les Deux Amants*, *Le Chèvrefeuille*) : « On m'a souvent relaté l'histoire de Tristan et de la reine, et je l'ai aussi trouvée dans un livre, l'histoire de leur amour si parfait, qui leur valut tant de souffrances, puis les fit mourir le même jour. »

L'amour se réalise également dans un autre monde spirituel pour les amants du lai du *Rossignol*, qui vivront dans un souvenir préservé à jamais, comme le rossignol dans sa châsse, et, dans le lai d'*Eliduc*, pour Guildeluec, la première épouse, puis pour Eliduc lui-même et Guilliadon, élevés à l'amour de Dieu par la grandeur de leur bienfaitrice.

Deux récits offrent cependant un dénouement très ambigu : *Bisclavret* et *Yonec* présentent, comme *Lanval*, la conjonction du monde naturel et du monde surnaturel, puis, comme *Guigemar*, l'intégration (ou la réintégration) définitive du héros à la société humaine. Mais le loup-garou incarne à lui seul les deux pôles de la civilisation et du monde sauvage : lequel l'emporte à la fin ? La femme de Bisclavret est contrainte à rendre les vêtements dérobés à son mari, qui redevient homme. Mais ensuite ? Bisclavret a-t-il retrouvé définitivement sa forme humaine ou demeure-t-il un loup-garou condamné à une métamorphose hebdomadaire ? Dans le conte populaire, le héros se venge en métamorphosant sa femme en jument (et l'amant en cheval). Ce motif ressurgit à la fin du *Bisclavret*, avec la métamorphose infligée à la coupable, dont le nez est arraché par la morsure du loup : ses descendants conserveront cette tare. Y aurait-il transfert de la métamorphose sur la coupable ?

Dans *Yonec*, la dame porte un fils qui succédera à son père. Le domaine paternel est situé, au moment où l'héroïne suit son amant mourant, de l'autre côté d'une colline, dans laquelle elle n'hésite pas à s'enfoncer, et qui marque la frontière avec un autre monde, comme la rivière du lai de *Lanval*. Mais une vingtaine d'années plus tard, quand Yonec a atteint l'âge de venger son père, c'est sur la route de Caerleon au pays de Galles, dans une abbaye, que se dresse la tombe de Muldumarec, dont le domaine semble s'étendre tout près de là. Après avoir tué le coupable, Yonec est proclamé seigneur par « les habitants de la cité ». Comme dans *Lanval*, la frontière entre les deux mondes est tantôt impalpable, tantôt soigneusement marquée. Où Yonec règne-t-il donc ? dans ce monde ou dans l'autre ? Dans les deux récits, la merveille s'efface devant le fantastique.

Contes populaires, nouvelles édifiantes (*Le Frêne*, *Eliduc*), récits nés d'une image (*Le Chèvrefeuille*, *Le Rossignol*), les lais glissent souvent d'un merveilleux extérieur à un merveilleux intériorisé qui est caractéristique de la plupart des récits du recueil. À la première partie de *Gui-gemar*, résolument féerique, succède l'histoire «réaliste» de ses amours avec la mal-mariée. Mais le merveilleux a gardé tous ses droits : pour la dame prisonnière, les portes ont perdu leurs serrures, la nef attend au port, comme si le miracle était suscité par la force de l'amour. L'apparition du chevalier-oiseau, dans *Yonec*, répond à l'appel de la dame : «Mais je ne pouvais pas vous rejoindre ni sortir de mon pays si vous ne m'appeliez d'abord.» Dans *Eliduc*, Guilliadon est ressuscitée par la fleur magique qui vient de permettre à une belette de rendre la vie à sa compagne, mais aussi et surtout par un miracle de l'amour : Guildeluec lui redonne la vie en supprimant la cause de sa mort, la douleur de savoir son ami déjà marié.

Cet ailleurs auquel tendent les *Lais*, c'est tantôt le pays des fées et des morts, tantôt le monde rêvé où l'amour peut s'épanouir sans entraves, pour les mal-mariées, le temps d'une rencontre qui prélude à l'union définitive dans la mort (*Le Chèvre-feuille*), dans le souvenir (*Le Rossignol*), le monde idéal où l'amour humain, transcendé, trouve sa récompense ici-bas (*Le Frêne*) ou son aboutissement dans l'amour de Dieu (*Eliduc*). Il est souvent incarné par un objet en lequel se cristallise tout le symbolisme du récit : le chèvrefeuille condamné à mourir si on le sépare du noisetier auquel il s'enlace ; l'amour meurtri puis immortalisé comme le rossignol ; les vêtements du Bisclavret, frontière fragile entre le monde animal et le

monde humain ; la chemise et la ceinture de Guigemar et de son amie ; la soierie de Frêne ; le
philtre des deux amants ; et même le bain brûlant
d'Equitan, préfiguration de l'Enfer qui attend les
amants coupables : tous participent de cette poésie
emblématique.

L. H.-L.

INDICATIONS BIBLIOGRAPHIQUES

Pour une bibliographie complète sur les *Lais*, on se reportera à :

G. S. BURGESS, *Marie de France : an Analytic Bibliography*, Londres, Grant et Cutler, 1977, et *Supplement*, 1, 1986.

P. MÉNARD, *Les Lais de Marie de France*, Paris, Presses Universitaires de France, 1979, rééd. et mise à jour 1995.

TEXTES

– Marie de France

MARIE DE FRANCE, *Lais,* édition bilingue, trad. et prés. L. Harf-Lancner (éd. K. Warnke), traduction reprise dans ce volume, Paris, Le Livre de Poche, Lettres gothiques, 1990.

Fables, éd. et trad. C. Brucker, Louvain, Peeters, 1991 et *Fables du Moyen Âge* (anthologie), trad. J. M. Boivin et L. Harf-Lancner, Paris, GF-Flammarion, 1996.

Le Purgatoire de saint Patrice, éd. et trad. Y. de Pontfarcy, Louvain, Peeters, 1995.

– Textes cités dans l'introduction

ALEXANDRE DE PARIS, *Le Roman d'Alexandre*, trad.
   L. Harf-Lancner, Paris, Le Livre de Poche, coll.
   Lettres gothiques, 1994.

ANDRÉ LE CHAPELAIN, *Traité de l'amour courtois*,
   trad. C. Buridant, Paris, Klincksieck, 1974.

BENOÎT DE SAINTE-MAURE, *Le Roman de Troie*, trad.
   E. Baumgartner et F. Vielliard, Paris, Le Livre de
   Poche, coll. Lettres gothiques, 1998.

La Châtelaine de Vergi, trad. J. Dufournet et
   L. Dulac, Paris, Gallimard, coll. Folio, 1994.

CHRÉTIEN DE TROYES, *Romans*, Le Livre de Poche,
   La Pochothèque, 1994.

COUDRETTE, *Le Roman de Mélusine*, trad. L. Harf-
   Lancner, Paris, GF-Flammarion, 1993.

Enéas (Le Roman d'), trad. A. Petit, Paris, Le Livre
   de Poche, coll. Lettres gothiques, 1997.

JEAN d'ARRAS, *Le Roman de Mélusine*, trad.
   M. Perret, Paris, Stock-plus, 1979.

Lais féeriques des XIIe et XIIIe siècles (lais
   anonymes), trad. A. Micha, Paris, GF-Flammarion, 1992.

Le Roman de Thèbes, trad. F. Mora, Paris, Le Livre
   de Poche, Lettres gothiques, 1995.

ÉTUDES

*L'Amour et la merveille : les Lais de Marie de
   France*, éd. J. Dufournet, Paris, Champion, coll.
   Unichamp, 1995.

P. MÉNARD, *Les Lais de Marie de France*, Paris,
   PUF, 1979, rééd. 1995.

L. HARF-LANCNER, *Les Fées au Moyen Âge*, Paris,
   Champion, 1984.

PROLOGUE

Quand Dieu vous a donné la science et un talent de conteur, il ne faut pas se taire ni se cacher mais se montrer sans hésitation. Lorsqu'un beau fait est répété, il commence à fleurir, et quand les auditeurs se répandent en louanges, alors les fleurs s'épanouissent[1].

Les Anciens avaient coutume, comme en témoigne Priscien, de s'exprimer dans leurs livres avec beaucoup d'obscurité à l'intention de ceux qui devaient venir après eux et apprendre leurs œuvres : ils voulaient leur laisser la possibilité de commenter le texte et d'y ajouter le surplus de science qu'ils auraient. Les poètes anciens savaient et comprenaient eux-mêmes que plus le temps passerait, plus les hommes auraient l'esprit subtil et plus ils seraient capables d'interpréter les ouvrages antérieurs[2].

---

1. Dans ce prologue-dédicace se succèdent plusieurs thèmes qui appartiennent à la tradition de l'exorde :
   – l'obligation de partager la science ;
   – l'opposition entre Anciens et Modernes ;
   – la vertu salutaire du travail ;
   – la justification du choix du sujet ;
   – la dédicace.
2. Marie définit ici la position des Modernes à l'égard des Anciens : « comme des nains juchés sur des épaules de géants » (selon la formule fameuse de Bernard de Chartres), les Modernes voient plus loin que leurs prédécesseurs, mais grâce à eux.

Pour se protéger du vice, il faut étudier et entreprendre une œuvre difficile : c'est ainsi que l'on s'éloigne le plus du mal et que l'on s'épargne la souffrance. Voilà pourquoi j'ai d'abord eu l'idée de composer un bon récit que j'aurais traduit de latin en français. Mais je n'en aurais pas tiré grande estime car tant d'autres l'ont déjà fait ! J'ai donc pensé aux lais que j'avais entendus. Je savais en toute certitude que ceux qui avaient commencé à les écrire et à les répandre avaient voulu perpétuer le souvenir des aventures qu'ils avaient entendues. J'en connais moi-même beaucoup et je ne veux pas les laisser sombrer dans l'oubli. J'en ai donc fait des contes en vers, qui m'ont demandé bien des heures de veille.

En votre honneur, noble roi, vous qui êtes si preux et courtois, vous que salue toute joie, vous dont le cœur donne naissance à toutes les vertus, j'ai entrepris de rassembler ces lais et de les raconter en vers, Sire, avec le désir de vous les offrir. S'il vous plaît de les accepter, vous me remplirez de joie à tout jamais. Ne me jugez donc pas présomptueuse si j'ose vous faire ce présent.

Écoutez maintenant, le récit commence !

1. GUIGEMAR

Quand la matière est riche, l'auteur est désolé de ne pas lui rendre justice. Ecoutez donc, seigneurs, les récits de Marie, qui tient sa place parmi les auteurs de son temps.

On doit faire l'éloge de celui qui a une bonne réputation. Pourtant quand un pays possède un homme ou une femme de grand mérite, les envieux se répandent en calomnies pour diminuer sa gloire : ils se mettent à jouer le rôle du chien méchant, lâche et perfide, qui mord traîtreusement les gens. Malgré tout je ne renoncerai pas, même si les railleurs et les médisants veulent dénigrer mon entreprise : libre à eux de dire du mal !

Je vais vous raconter, en peu de mots, les contes dont je sais qu'ils sont vrais, les contes dont les Bretons ont tiré leurs lais. Au terme de ce prologue[1], conformément au texte écrit, voici une aventure survenue, il y a bien longtemps, en Petite Bretagne[2].

---

1. *Guigemar* s'ouvre sur un prologue qui semble antérieur au prologue-dédicace. Ce court exorde aurait ensuite été remplacé par un grand prologue justificatif de l'ensemble de l'œuvre. **2.** Au Moyen Âge, la Bretagne désigne la Grande-Bretagne, et la Petite Bretagne, la Bretagne armoricaine.

[note manuscrite :]
-Guimar quitte le
chateau
- Beau homme mais
ne s'interesse pas
au femme.

En ce temp[...]   [...]nais-
sait la guerre [...]   [...]i ses
barons, le seig[...]   [...] était
très aimé du [...]   [...]alier.
Son épouse lu[...]   [...]fils et
une fille d'un[...]   [...]uent.
Quant au jeune[...]   [...]t pas
plus beau dans[...]   [...] chérissait, tout comme son père, qui décida, quand Guigemar fut en âge de le quitter, de l'envoyer servir
le roi. Le jeune homme était sage et vaillant et
gagnait l'amitié de tous.

Quand il eut assez d'âge et de raison, le roi
l'adouba et lui offrit un riche équipement avec les
armes de son choix. Guigemar alors quitta la cour,
non sans s'être répandu en largesses. En quête de
renommée, il gagna la Flandre, où il y avait
toujours batailles et guerres. Qu'on allât en Lor-
raine ou en Bourgogne, en Anjou ou en Gascogne,
on ne pouvait alors trouver si bon chevalier.

Et pourtant la Nature avait commis une faute en
le formant : il était indifférent à l'amour. Nulle
dame, nulle demoiselle, si belle et si noble fût-
elle, ne lui aurait refusé son amour s'il le lui avait
demandé. D'ailleurs plus d'une le lui offrit ; mais
elles ne l'intéressaient pas. Il ne donnait pas même
l'impression de vouloir connaître l'amour. Et ce
refus lui était reproché comme une tare par les
étrangers comme par ses propres amis[1].

Dans tout l'éclat de sa gloire, il revient dans son

---

1. Guigemar semble incarner le refus du passage à l'âge adulte, et
derrière la condamnation unanime affleure le soupçon d'homosexualité :

pays pour rendre visite à son père et seigneur, à sa
douce mère et à sa sœur qui languissaient après
lui. Il est demeuré avec eux un mois entier, je
crois.

Un jour l'envie le prend d'aller chasser ; le soir
même, il convoque ses chevaliers, ses veneurs et
ses rabatteurs et dès le matin, il entre dans la
forêt : Guigemar est un chasseur passionné[1]. On se
lance à la poursuite d'un grand cerf et on lâche les
chiens. Les veneurs courent devant, le jeune
homme s'attarde en arrière. Un serviteur porte son
arc, son couteau et son chien car il espère avoir
l'occasion de décocher une flèche avant de quitter
la forêt.

Alors, au plus profond d'un épais buisson, il
voit une biche avec son faon. La bête était toute
blanche et portait des bois de cerf. Les aboiements
du chien la font bondir. Guigemar tend son arc,
décoche une flèche et l'atteint au front. Elle s'abat
immédiatement mais la flèche rebondit et vient
traverser la cuisse de Guigemar si profondément
qu'elle atteint le cheval[2]. Il doit aussitôt mettre
pied à terre et tombe sur l'herbe épaisse, près de
la biche qu'il a atteinte. La biche souffrait de sa

---

dans le lai de *Lanval*, la reine repoussée par le héros l'accuse explicitement d'homosexualité.

1. On retrouve ici le thème mythique du chasseur passionné (Hippolyte) : refusant l'amour des mortelles, le héros suscite l'amour d'une
femme surnaturelle, émanation de la forêt. Mais le lai rationalise le
conte merveilleux : à la femme-biche se substituera la mal-mariée.
2. Cette blessure à la cuisse matérialise l'impuissance de Guigemar à
aimer. Elle ressurgit dans le lai du *Malheureux*, mais aussi dans *Le
Conte du Graal* de Chrétien de Troyes, avec la blessure du père de
Perceval et celle du roi Mehaigné (mutilé).

blessure et gémissait. Elle se mit alors à parler :
« Hélas, je vais mourir ! Et toi, chevalier, toi qui
m'as blessée, voici ta destinée : puisses-tu ne
jamais trouver de remède ! Nulle herbe, nulle
racine, nul médecin, nulle potion ne guériront
jamais la plaie de ta cuisse tant qu'une femme ne
viendra pas la guérir, une femme qui souffrira
pour l'amour de toi plus de peines et de douleurs
que nulle autre amoureuse. Et toi, tu souffriras
tout autant pour elle. Et votre amour émerveillera
tous ceux qui aiment, qui ont aimé et qui aimeront.
Maintenant va-t'en, laisse-moi en paix ! »

Guigemar, cruellement blessé, est bouleversé
par ces paroles. Il se demande dans quel pays se
rendre pour faire guérir sa plaie car il ne veut pas
se laisser mourir. Il sait bien, et il se le répète,
qu'il n'a jamais vu femme qu'il puisse aimer et
qui puisse le guérir et le soulager. Il fait venir son
serviteur devant lui : « Mon ami, pars vite au
galop et fais revenir mes compagnons ; je veux
leur parler ! » Le serviteur part au galop et lui reste
seul, gémissant de douleur. De sa chemise bien
serrée il panse solidement sa plaie puis remonte à
cheval et s'en va, pressé de s'éloigner de peur que
l'un des siens n'arrive et ne tente de le retenir. À
travers la forêt, un chemin verdoyant l'a mené
au-delà de la lande. Dans la plaine il découvre une
rivière qui court au pied de la montagne et devient
un bras de mer où se trouve un port. Au port, un
seul navire, dont il aperçoit la voile, un navire prêt
à prendre la mer, calfaté en dehors et en dedans
sans qu'on puisse voir la moindre jointure. Pas

une cheville, pas un crampon qui ne soient d'ébène : il n'est rien de si précieux ! La voile, toute de soie, se déploie magnifiquement. Pourtant le chevalier, tout étonné, n'avait jamais entendu dire qu'un navire pût aborder dans la région.

Il avance, descend de cheval pour monter à grand-peine dans le navire. Il croyait y trouver des hommes chargés de le garder. Mais il n'en trouve pas trace. Au milieu du navire, il découvre un lit dont les montants et les côtés étaient d'or gravé selon l'art de Salomon et incrusté de cyprès et d'ivoire blanc[1]. Une étoffe de soie brochée d'or recouvrait le lit. Quant aux draps, je ne saurais les évaluer mais pour l'oreiller, je peux bien vous dire son pouvoir : il suffirait d'y poser sa tête pour se voir épargner les cheveux blancs. La couverture de zibeline était doublée de pourpre d'Alexandrie. À la proue du navire, deux candélabres d'or fin dont le moins précieux valait un trésor, garnis de deux cierges allumés. Guigemar, émerveillé, s'est appuyé sur le lit pour se reposer car il souffre. Il se relève, veut partir, mais c'est impossible : déjà le navire est en haute mer et file vers le large avec lui. Le temps est beau, le vent souffle, le retour est impossible. Il se désole, impuissant. Rien d'étonnant à ce qu'il soit épouvanté ! Sa plaie le fait cruellement souffrir. Mais il lui faut pourtant subir cette aventure. Il implore Dieu de le protéger et, dans sa puissance, de l'amener à bon port et de lui épargner la mort. Il se couche dans le lit et

---

1. « L'œuvre Salomon » est une technique de gravure proche de celle du champlevé.

s'endort. Le plus dur est maintenant passé : avant
le soir, il atteindra la terre où l'attend la guérison,
au pied d'une vieille cité, capitale de ce royaume.

Le seigneur de cette terre était un vieillard qui
avait épousé une dame de haut rang, noble, courtoise, belle et sage. La jalousie le dévorait : c'est
dans la nature des vieillards d'être jaloux car personne ne supporte l'idée d'être cocu. Mais l'âge
vous oblige à en passer par là ! La pauvre femme
n'était pas l'objet d'une surveillance pour rire.
Dans un jardin, au pied du donjon, il y avait un
enclos tout entouré d'un mur de marbre vert bien
épais et bien haut. Il n'existait qu'une seule entrée,
gardée nuit et jour. De l'autre côté, c'est la mer
qui isolait le jardin : impossible d'y entrer ou d'en
sortir sinon par bateau, lorsque le besoin s'en faisait sentir au château. À l'intérieur de la muraille,
le seigneur avait fait construire, pour mettre sa
femme en sûreté, une chambre, la plus belle qu'on
puisse imaginer. La chapelle était à l'entrée. Des
peintures couvraient tous les murs de la chambre.
On y voyait Vénus, déesse de l'amour, admirable-
ment représentée : elle y montrait les caractères et
la nature de l'amour et comment l'amour est un
devoir qui impose un service loyal. Quant au livre
d'Ovide, où il enseigne à lutter contre l'amour,
elle le jetait en un feu ardent et excommuniait tous
ceux qui oseraient le lire et suivre ses leçons[1].
C'est là que la dame était enfermée. Son époux
avait mis à son service une jeune fille noble et

---

1. Ce livre d'Ovide doit être les *Remedia amoris*.

courtoise, sa nièce, la fille de sa sœur. Une grande amitié liait les deux femmes, et la jeune fille vivait avec la dame quand le seigneur était en voyage. Avant le retour du maître, nulle créature n'aurait eu le droit de franchir ces murailles ou d'en sortir[1]. Seul un vieux prêtre tout chenu possédait la clef de la porte. Mais il était impuissant : jamais sinon on ne lui aurait fait confiance ! Il disait l'office divin à la dame et la servait à ses repas.

Ce jour-là, tôt dans l'après-midi, la dame était allée au jardin. Elle avait dormi après le repas et venait se distraire, avec la jeune fille pour seule compagne. Elles regardent au loin le rivage et voient le navire qui, porté par la marée montante, fait voile vers le port. Mais elles ne voient pas le moindre pilote. La dame, tout naturellement effrayée, rouge de peur, veut prendre la fuite. Mais la suivante, sage et plus courageuse, la réconforte et la rassure. Elles courent vers le port. La jeune fille enlève son manteau et pénètre dans le beau navire où elle ne trouve âme qui vive, à l'exception du chevalier endormi. Elle s'arrête, l'examine, le voit tout pâle, le croit mort et retourne vite sur ses pas pour appeler la dame. Elle lui raconte l'aventure et se lamente sur le mort. La dame répond : « Allons-y vite ! S'il est mort, nous l'enterrerons avec l'aide de notre prêtre ; s'il est vivant, il nous racontera tout ! » Elles repartent ensemble sans plus tarder. La dame pénètre la première dans le navire, s'arrête devant

---

1. Ce personnage de mal-mariée, issu de la poésie lyrique (les chansons de mal-mariée), réapparaît dans *Yonec*, *Le Rossignol* et *Milon*.

le lit, regarde le chevalier. Devant sa beauté, elle
plaint son triste sort ; pleine de tristesse, elle s'api-
toie sur sa jeunesse brisée. Mais voici qu'elle pose
la main sur sa poitrine, qu'elle trouve chaude, et
sent battre son cœur. Le chevalier endormi
s'éveille et la voit. Il la salue, plein d'allégresse,
car il sait qu'enfin il a touché le rivage. La dame,
en pleurs et chagrinée, lui rend courtoisement son
salut et l'interroge : comment est-il venu ? de
quelle terre ? est-il chassé par la guerre ? « Dame,
répond-il, il n'en est rien. Je vous conterai
volontiers mon aventure, sans rien vous en cacher,
si elle vous intéresse. Je suis de Petite Bretagne.
Aujourd'hui je suis allé chasser dans la forêt. J'ai
atteint une biche blanche. Mais la flèche a rebondi
et m'a blessé si profondément à la cuisse que je
n'espère plus retrouver la santé. La biche s'est
mise à gémir et à parler. Elle m'a maudit et a émis
le vœu que jamais je ne trouve la guérison, sinon
des mains d'une jeune femme, que je ne sais où
trouver. Entendant cette prophétie, j'ai vite quitté
la forêt, j'ai vu ce navire dans un port et, comme
un fou, j'y suis monté : le navire est parti avec
moi. À quel rivage ai-je abordé ? quel est le nom
de cette cité ? je ne le sais pas. Belle dame, au nom
de Dieu, aidez-moi, par pitié ! Je ne sais où aller et
je suis incapable de diriger ce navire ! – Noble et
cher seigneur, répond la dame, je vous viendrai
bien volontiers en aide. Cette cité appartient à
mon époux, ainsi que tout le pays alentour. C'est
un homme puissant et de noble lignage. Mais il est
très vieux et terriblement jaloux, je vous l'assure.

Il me tient prisonnière dans cet enclos. Il n'y a qu'une seule entrée, gardée par un vieux prêtre (que Dieu le maudisse !) Nuit et jour je suis enfermée et jamais je n'oserai sortir d'ici si le prêtre ne me l'ordonne, à la demande de mon époux. J'ai là ma chambre, ma chapelle et cette jeune fille qui vit avec moi. Si vous désirez séjourner avec nous jusqu'à ce que vous puissiez reprendre votre voyage, nous vous garderons volontiers près de nous et vous servirons de bon cœur. » À ces mots, Guigemar remercie courtoisement la dame et accepte son offre. Il se lève du lit et se met debout, soutenu à grand-peine par les deux femmes. La dame le mène dans sa chambre et le fait se coucher sur le lit de la jeune fille, derrière un panneau qui divise la pièce. Elles apportent de l'eau dans deux bassins d'or pour laver la plaie de sa cuisse. Avec une belle étoffe de lin blanc, elles essuient le sang autour de la blessure, qu'elles entourent d'un pansement bien serré. Guigemar est l'objet de tous leurs soins. Le soir, quand on apporte le repas, la jeune fille prend suffisamment de nourriture pour le chevalier : il a bien mangé et bien bu.

Mais l'amour l'a frappé au vif, son cœur est désormais un champ de bataille. La dame l'a si bien blessé qu'il a tout oublié de son pays. Sa plaie ne le fait plus souffrir et pourtant il soupire douloureusement[1]. Il prie la jeune fille, qui doit le servir, de le laisser dormir. Recevant son congé,

---

1. Cette peinture des souffrances de l'amour naissant (dans la tradition ovidienne) a peut-être subi l'influence du *Roman d'Enéas*, une

elle le laisse et retourne auprès de sa dame, qui
commence à brûler du feu que ressent Guigemar,
un feu qui enflamme et embrase son propre cœur.
Le chevalier, resté seul, s'interroge anxieusement : il ne connaît pas encore son mal mais il
comprend bien que si la dame ne le guérit pas, il
est sûr et certain de mourir. « Hélas, dit-il, que
faire ? J'irai à elle et implorerai sa pitié pour le
malheureux privé de ressources que je suis. Si elle
repousse ma prière et se montre orgueilleuse et
fière, il ne me reste plus qu'à mourir de chagrin ou
languir à tout jamais de ce mal. » Il soupire. Mais
bientôt il change d'avis et se dit qu'il lui faut
endurer sa souffrance, car il n'a pas le choix.
Toute la nuit s'est ainsi écoulée dans la veille, les
soupirs, les tourments. Il se rappelle sans cesse les
paroles de la dame et sa beauté, revoit ses yeux
brillants, sa belle bouche dont la douceur touche
son cœur. À mi-voix il lui demande pitié et est
près de l'appeler son amie.

S'il avait connu ses sentiments et les souffrances qu'elle endurait pour l'amour de lui, je
crois qu'il s'en serait réjoui et que la douleur qui
faisait pâlir son visage s'en serait quelque peu
apaisée. Car s'il souffre pour l'amour d'elle, elle-
même n'est pas dans une situation plus enviable.
De bon matin, avant même le lever du jour, elle
est levée et se plaint de n'avoir pas trouvé le sommeil : c'est l'amour qui la torture. Sa compagne a
bien compris, à son visage, qu'elle est éprise du

---

adaptation française de l'*Énéide* de Virgile, antérieure de peu aux *Lais*,
qui évoque dans les mêmes termes les tourments de Lavine et d'Enéas.

chevalier que toutes deux soignent et hébergent dans la chambre. Mais elle ignore si cet amour est partagé. Tandis que la dame est à l'église, la jeune fille rejoint le chevalier et s'assied devant son lit. Il l'appelle et l'interroge : « Mon amie, où donc s'en est allée ma dame ? Pourquoi s'est-elle si tôt levée ? » Puis il se tait et se met à soupirer. La jeune fille prend alors la parole : « Seigneur, vous aimez ! Prenez garde de trop dissimuler ! Vous pouvez aimer en choisissant dignement l'objet de votre amour. Celui qui voudrait aimer ma dame devrait la tenir en grande estime. Cet amour serait parfait si vous demeuriez des amants fidèles ; car vous êtes aussi beau qu'elle est belle ! – L'amour qui m'enflamme est si fort, répond-il à la jeune fille, qu'il m'arrivera malheur si l'on ne vient pas à mon secours ! Aidez-moi donc, ma douce amie ! Que dois-je faire pour mon amour ? » La jeune fille, courtoise et bonne, a réconforté le chevalier avec douceur et lui a promis de faire de son mieux pour l'aider.

Après l'office, la dame revient sur ses pas sans tarder. Elle veut savoir comment va celui qui tourmente son cœur, s'il veille ou s'il dort. Justement la jeune fille l'appelle et l'amène au chevalier : elle pourra ainsi à loisir lui révéler ses sentiments, qu'il en résulte pour elle profit ou dommage. Ils se saluent tous deux, aussi bouleversés l'un que l'autre. Il n'osait pas lui demander son amour ; parce qu'il était étranger ; il craignait, en se dévoilant, d'encourir sa haine et d'être chassé. Mais ce n'est pas en cachant son mal qu'on peut espérer

retrouver la santé. L'amour est une blessure inté-
rieure qui n'apparaît pas au-dehors. C'est une
maladie tenace que la nature elle-même nous
envoie. Bien des gens s'en moquent, comme ces
amants de pacotille, qui papillonnent un peu partout puis se vantent de leurs succès : on ne reconnaît pas là l'amour, mais la folie, la fausseté et la
débauche. Celle qui peut trouver un loyal amant a
toutes les raisons de le servir, de l'aimer et
d'exaucer ses vœux. Guigemar est éperdument
amoureux : il faut qu'il trouve un prompt secours,
ou qu'il se mette à vivre contrairement à ses
désirs. L'amour lui donne du courage : il révèle à
la dame ses sentiments. « Dame, je meurs pour
vous ; mon cœur est plein d'angoisse. Si vous
refusez de me guérir, je ne puis échapper à la
mort. Je vous demande votre amour, belle dame,
ne me repoussez pas ! » Elle l'a bien écouté et lui
répond gracieusement, en souriant : « Mon ami, ce
serait une décision bien hâtive que d'accéder à
votre prière : telle n'est pas ma coutume ! – Dame,
au nom de Dieu, pitié ! Ne vous courroucez pas de
mes paroles ! Une femme à la conduite légère doit
se faire prier longtemps, pour donner plus de prix
à ses faveurs et empêcher son amant de croire
qu'elle se donne facilement. Mais la dame avisée,
pleine de mérite et de sagesse, qui trouve un
amant à sa convenance, ne se montrera pas trop
cruelle : elle l'aimera et connaîtra les joies de
l'amour. Avant que l'on surprenne leur secret, ils
auront bien employé leur temps ! Belle dame,
cessons donc ce débat ! » La dame comprend qu'il

dit vrai et sans plus tarder, elle lui accorde son amour, avec un baiser. Désormais, Guigemar connaît le bonheur. Ils s'allongent l'un contre l'autre, s'enlacent, échangent bien des serments et des baisers. Quant au reste, quant aux pratiques qui sont d'ordinaire celles des autres amants, c'est leur affaire !

Guigemar partagea avec la dame un an et demi de bonheur, je crois. Mais la Fortune n'oublie jamais son rôle et a tôt fait de tourner sa roue, plaçant les uns en haut, les autres en bas[1]. C'est le sort qui les attendait : bien vite ils furent découverts. C'était un matin d'été, la dame, couchée près du jeune homme, lui embrasse la bouche et le visage. Elle lui dit alors : « Mon beau, mon doux ami, mon cœur me dit que je vais vous perdre ; on va nous voir et nous surprendre. Si vous mourez, je veux mourir ! Mais si vous me quittez, vivant, vous retrouverez un autre amour et moi, je resterai avec ma douleur ! – Dame, ne parlez pas ainsi ! Que plus jamais je ne connaisse la joie et le repos, si jamais je me tourne vers une autre ! Vous n'avez rien à craindre ! – Ami, donnez-moi alors un gage de votre fidélité ! Remettez-moi votre chemise : je ferai un nœud au pan du dessous. Je vous autorise, où que ce soit, à aimer celle qui saura défaire le nœud et déplier la chemise ! » Guigemar lui remet la chemise et lui prête serment : elle y fait un nœud que nulle

---

1. La déesse Fortune qui tourne, les yeux bandés, une roue sur laquelle les hommes sont placés tour à tour en haut et en bas, est un thème récurrent dans la littérature et l'iconographie du Moyen Âge.

femme ne saurait défaire sans ciseaux ou couteau. Elle lui rend sa chemise. Mais lui exige à son tour qu'elle le rassure sur sa propre fidélité en portant une ceinture, dont lui-même entoure sa chair nue, en lui serrant un peu les flancs. Celui qui pourra ouvrir la boucle sans briser ni déchirer la ceinture, cet homme, il la prie de lui accorder son amour ! Puis il l'embrasse et les choses en restent là.

Le jour même, ils furent découverts et surpris par un chambellan sournois, envoyé par le seigneur qui voulait parler à la dame. Ne pouvant pénétrer dans la chambre, il voit les amants par la fenêtre, et va tout dire à son maître, qui n'a jamais appris plus fâcheuse nouvelle que ce jour-là. Le seigneur, accompagné de trois de ses familiers, se précipite vers la chambre, fait enfoncer la porte et découvre le chevalier à l'intérieur. Sous le coup de la fureur, il ordonne qu'on le mette à mort. Mais Guigemar, impavide, se lève, saisit une grosse perche de sapin sur laquelle on faisait sécher le linge, et les attend de pied ferme : il compte bien en chagriner quelques-uns. Avant de se laisser approcher, il les aura tous mis à mal. Le seigneur l'examine et lui demande qui il est, d'où il vient et comment il a pu s'introduire dans la place. Guigemar lui raconte comment il est arrivé, comment la dame l'a gardé près d'elle ; il lui parle de la prophétie de la biche blessée, du navire, de sa plaie. Il se voit maintenant au pouvoir du seigneur de ces lieux. Ledit seigneur lui répond qu'il ne croit pas à son histoire. Pourtant, si c'était là la vérité et s'il pouvait retrouver le navire, il aurait tôt fait de remettre Guigemar à la mer : il serait bien désolé de le voir survivre et compte bien sur sa noyade !

Marché conclu ! Ils se rendent ensemble au port, trouvent le navire, y font monter Guigemar, qui fait voile, rapidement, vers son pays. Le chevalier soupire et pleure, il ne cesse de regretter sa dame et implore Dieu tout-puissant de lui envoyer vite la mort et de ne pas le laisser toucher au port s'il ne peut revoir son amie, qu'il aime bien plus que sa vie. Tout à sa douleur, il vogue jusqu'au port où il avait découvert le navire, tout près de son pays. Il débarque aussitôt. Et voilà qu'il rencontre un jeune homme qu'il a lui-même élevé et qui faisait route, à la recherche d'un chevalier, menant par la bride un destrier. Il le reconnaît, l'appelle : le jeune homme se retourne, voit son seigneur et met pied à terre pour venir lui offrir le cheval. Ils font route ensemble. Tous ses amis sont joyeux de le retrouver, tous les habitants du pays le couvrent d'honneurs ; mais lui ne sort pas de sa tristesse. On veut le marier ; mais lui oppose toujours le même refus : jamais la richesse ni l'amour ne lui feront prendre femme, à l'exception de celle qui pourra défaire le nœud de sa chemise sans la déchirer. La nouvelle court dans toute la Bretagne : dames et demoiselles accourent toutes tenter l'épreuve. Mais nulle ne réussit à dénouer la chemise.

Revenons à la dame que Guigemar aime tant. Son époux, sur le conseil d'un de ses barons, l'a emprisonnée dans une tour de marbre bis. Elle souffre le jour et la nuit plus encore. Comment dire la grande peine et le martyre, l'angoisse et la douleur qu'elle endure dans la tour ? Elle y resta deux ans et même plus, je crois, sans jamais connaître joie ni plaisir, ne cessant de pleurer son ami : « Guigemar, cher seigneur, c'est pour mon malheur que je vous ai rencontré ! Plutôt mourir tout de suite que continuer à endurer cette souffrance ! Ami, si je peux m'échapper, j'irai me noyer là même où vous avez été livré aux flots ! » Elle se lève alors, tout égarée, s'approche de la porte, n'y trouve ni clef ni serrure et s'en va, à l'aventure, sans rencontrer nul obstacle. Elle arrive au port, trouve le navire amarré au rocher, là même où elle voulait se noyer. Elle y pénètre mais à l'idée que son ami s'est ici noyé, elle ne tient plus sur ses jambes : si elle avait pu parvenir jusqu'au bastingage, elle se serait laissée tomber par-dessus bord, tant elle souffre. Mais le navire s'en va et l'emporte vite en Bretagne, dans un port, au pied d'un fier château fort dont le seigneur se nommait Mériaduc.

Il était en guerre contre un de ses voisins et s'était levé de bon matin pour envoyer ses hommes en expédition contre son ennemi. Debout à la fenêtre, il voit le navire accoster, s'empresse de descendre en appelant son chambellan et de rejoindre le navire. Ils s'introduisent à bord par l'échelle et découvrent la dame à l'intérieur, belle comme une fée. Mériaduc la saisit par le manteau et l'emmène dans son château, tout réjoui de sa découverte, car la dame est merveilleusement belle. Il sait bien, quel que soit celui qui l'a laissée dans ce navire, qu'elle est de noble naissance et se prend pour elle d'un amour qu'il n'a jamais éprouvé pour aucune femme. Il mène la dame à sa jeune sœur, dans une fort belle chambre, et la lui confie. La dame est bien servie et honorée, richement vêtue et parée ; mais toujours elle demeure triste et sombre. Mériaduc s'entretient souvent avec elle car il l'aime de tout son cœur. Il sollicite son amour ; mais elle ne s'en soucie guère. Elle lui montre la ceinture et lui explique qu'elle n'aimera jamais que l'homme capable de l'ouvrir sans la déchirer. Il lui répond alors, furieux : « Il y a aussi dans ce pays un valeureux chevalier qui refuse de prendre femme au nom d'une chemise, dont le pan droit est plié : on ne peut la dénouer sans couteau ou ciseaux. N'auriez-vous pas fait ce nœud vous-même ? » À ces mots, elle soupire et manque s'évanouir. Mériaduc la reçoit dans ses bras et coupe les lacets de sa robe ; il voulait ouvrir la ceinture, mais en vain. Plus tard il fit tenter l'épreuve par tous les chevaliers du pays.

Le temps s'écoula ainsi jusqu'à un tournoi que Mériaduc organisa pour y rencontrer son ennemi. Il y convia bien des chevaliers et, en premier lieu, Guigemar, son ami et son compagnon qui, en échange de services rendus, lui devait bien aide et assistance en ce besoin. Guigemar est donc venu, en superbe équipage, avec plus de cent chevaliers. Mériaduc lui offre une riche hospitalité dans son donjon : il convoque sa sœur et lui fait dire par deux chevaliers qu'elle se pare et se présente à lui,

accompagnée de la dame qu'il aime tant. La jeune
fille obéit et les deux femmes, magnifiquement
vêtues, entrent dans la grande salle en se tenant
par la main. La dame, pensive et pâle, entend le
nom de Guigemar. Elle ne peut plus se soutenir et
serait tombée si son amie ne l'avait retenue. Le
chevalier se lève pour venir à leur rencontre. Il
voit la dame, examine son visage et son allure et
recule : « Serait-ce ma douce amie, mon espé-
rance, mon cœur, ma vie, la belle dame qui m'a
aimé ? D'où vient-elle ? qui l'a amenée ? Mais je
suis fou ! Je sais bien que ce n'est pas elle ! Les
femmes se ressemblent beaucoup. J'ai tort de
penser à elle. Mais elle ressemble tant à celle pour
qui mon cœur soupire et tremble que je veux lui
parler ! » Le chevalier s'avance donc, donne un
baiser à la dame et la fait asseoir près de lui ; mais
après cette requête, il ne lui adresse plus la parole.
Mériaduc les observe avec inquiétude et appelle
Guigemar en souriant : « Seigneur, dit-il en dési-
gnant sa sœur, vous devriez laisser cette jeune fille
tenter de dénouer votre chemise, pour voir si elle
réussit ! » Guigemar accepte la proposition,
appelle le chambellan qui a la garde de la chemise
et lui ordonne de l'apporter. On la remet à la jeune
fille qui ne parvient pas à la dénouer. La dame
reconnaît bien le nœud. Elle est au supplice car
elle tenterait bien l'épreuve si elle pouvait et osait.
Mériaduc, plein de tristesse, s'en aperçoit :
« Dame, voyez donc si vous pourriez défaire le
nœud ! » À cette demande, elle saisit le pan de la
chemise et le dénoue sans difficulté. Émerveillé,

le chevalier la reconnaît mais n'arrive pas à y croire. « Amie, dit-il, douce dame, est-ce bien vous ? Dites-moi la vérité, laissez-moi voir si vous portez la ceinture que je vous ai mise ! » Il touche alors sa taille et trouve la ceinture. « Belle, dit-il, c'est une merveilleuse aventure qui m'a permis de vous retrouver ici ! Qui vous a donc amenée ? » La dame lui raconte ses souffrances et ses épreuves en prison, l'aventure qui lui a permis de s'échapper quand elle voulait se noyer, comment elle a trouvé le navire, y est montée, a débarqué dans ce port, où le chevalier l'a retenue. Mériaduc l'a entourée d'honneurs mais il ne cessait de lui demander son amour. Maintenant sa joie est revenue : « Ami, emmenez la femme que vous aimez ! » Alors Guigemar s'est levé. « Seigneurs, écoutez-moi ! Je viens de retrouver mon amie, que je croyais avoir perdue. J'implore Mériaduc de me la rendre, par pitié ! Je deviendrai son homme lige et je le servirai pendant deux années ou même trois, avec cent chevaliers et plus ! » Mais Mériaduc lui répond : « Guigemar, mon bon ami, je ne suis pas démuni et harcelé par cette guerre au point que vous puissiez me faire cette requête ! J'ai trouvé cette dame, je la garderai et je la défendrai contre vous ! » À ces mots, Guigemar ordonne en hâte à ses hommes de monter à cheval et s'en va, défiant Mériaduc, désolé de devoir abandonner son amie. De tous les chevaliers venus en ville pour le tournoi, il n'en est pas un qui ne suive Guigemar et ne lui jure fidélité : ils l'accompagneront, où qu'il aille. Honte à celui qui lui refuse son aide ! Le soir même, ils sont au château du seigneur qui faisait la guerre à Mériaduc. Le châtelain leur offre l'hospitalité, tout heureux de l'aide que lui apporte Guigemar : il comprend que la guerre est finie. Dès le lendemain, de bon matin, tous se lèvent, s'équipent dans leurs logis et quittent la ville bruyamment sous la conduite de Guigemar. Parvenus au château de Mériaduc, ils lancent un assaut qui échoue, car la place était bien fortifiée. Alors Guigemar assiège la ville : il ne partira pas avant de l'avoir prise. Le nombre de ses amis et de ses chevaliers augmente si bien qu'il réduit tous les assiégés à la famine. Il s'empare donc du château, le détruit, tue le seigneur. Tout joyeux, il emmène son amie : ses épreuves sont finies désormais.

Du conte que vous venez d'entendre, on a tiré le lai de *Guigemar*, qu'on joue sur la harpe et la rote : la musique en est douce à entendre.

2. EQUITAN

C'étaient de bien nobles barons que les seigneurs de Bretagne, les Bretons. Ils avaient jadis une coutume qui témoignait de leur valeur, de leur courtoisie et de leur noblesse : quand ils entendaient raconter les aventures survenues autour d'eux, ils faisaient composer des lais pour en préserver le souvenir, pour leur éviter de tomber dans l'oubli. Ils en ont composé un que j'ai entendu conter et qui mérite bien qu'on le tire de l'oubli : c'est le lai d'*Equitan*, un courtois chevalier qui était seigneur des Nantais, juge souverain et roi.

Equitan était grandement honoré et aimé dans son pays. Il aimait les plaisirs de l'amour et se conduisait en vaillant chevalier pour les mériter. C'est mettre sa vie en danger que de n'observer ni sagesse ni mesure en amour ; mais qui mesure l'amour constate qu'on ne peut qu'y perdre la raison. Equitan avait pour sénéchal un bon chevalier, preux et loyal, qui veillait sur sa terre et l'administrait. Car le roi n'aurait renoncé à ses parties de plaisir et de chasse au gibier de forêt et de rivière pour rien au monde, la guerre exceptée.

Le sénéchal avait une épouse, qui devait apporter le malheur au pays, une dame d'une grande beauté et d'une parfaite éducation. La nature avait mis tous ses soins à modeler son corps harmonieux, à lui donner cette allure gracieuse, ce beau visage aux yeux scintillants, cette belle bouche, ce nez parfait, ces cheveux blonds et brillants. Courtoise et de parole agréable, elle avait un teint de rose. Qu'en dire de plus ? Elle n'avait pas sa pareille dans le royaume. Le roi entendait souvent chanter ses louanges, lui adressait souvent ses salutations et des cadeaux. Avant même de l'avoir vue, il se mit à la désirer et lui parla dès qu'il le put.

Il s'en alla un jour chasser sans escorte dans la région où habitait le sénéchal et la nuit venue, au retour de la chasse, demanda l'hospitalité dans le château où demeurait la dame. Il pouvait ainsi lui parler facilement, lui révéler son sentiment et son désir. Il l'a trouvée courtoise et sage, belle de corps et de visage, aimable et gaie. Amour a fait de lui l'un des siens : il lui a décoché une flèche qui l'a profondément blessé en se fichant dans son cœur. Sagesse et ruse ne servent à rien : possédé par son amour pour la dame, il est sombre et pensif. Il lui faut se vouer tout entier à cet amour maintenant car il n'y a pas de défense possible. La nuit, il ne trouve ni sommeil ni repos mais s'accuse lui-même : « Hélas, quelle destinée m'a mené dans ce pays ? La vue de cette dame m'a enfoncé dans le cœur une douleur qui me fait trembler de tout mon corps. Je ne puis que l'aimer, je crois. Mais si je l'aime, j'agirai mal, car c'est la femme de mon sénéchal. À lui je dois l'amitié et la fidélité que je lui demande de me témoigner. Si par trahison il apprenait la chose, il en serait très malheureux, je le sais bien. Et pourtant ce sera bien pire si cette femme me fait mourir de douleur. Une telle beauté ne servirait à rien, si cette dame n'aimait et n'avait un amant ! Que deviendrait sa courtoisie si elle ne connaissait pas l'amour ? Et il n'est nul homme au monde, si elle l'aimait, que cet amour ne rendrait meilleur ! Quant au sénéchal, s'il l'apprend, il n'a nulle raison de tant se chagriner. Il ne peut pas la garder pour lui seul : je veux la partager avec lui ! » Après cela, il soupire, se couche et médite encore : « Pourquoi donc ce trouble et ce tourment ? Je ne sais pas encore et je n'ai jamais su si elle m'accepterait pour amant ; mais je le saurai vite. Si elle pouvait sentir ce que je sens, ma douleur disparaîtrait vite. Mon Dieu ! que le jour est encore loin ! Je ne peux plus trouver le repos ; il y a bien longtemps que je suis couché ! »

Le roi veille jusqu'au lever du jour, qu'il a bien du mal à attendre. Il se lève, va chasser, mais revient vite au château en disant qu'il est souffrant, regagne sa chambre et se couche. Le sénéchal, désolé, ne connaît pas la maladie qui fait frissonner son roi : elle n'a d'autre cause que sa femme. Equitan fait venir la dame auprès de lui, pour trouver joie et réconfort. Il lui découvre ses sentiments, lui révèle qu'il meurt d'amour pour elle ; elle peut lui rendre la vie tout comme elle peut lui donner la mort. « Sire, dit la dame, laissez-moi un peu de temps ! C'est la première fois que vous me parlez ainsi et vous me prenez au dépourvu. Vous êtes un roi de grande noblesse ; je ne suis pas d'un rang assez haut pour que vous choisissiez de vous lier d'amour avec moi. Une fois votre passion satisfaite, je sais bien que vous auriez vite fait de m'abandonner ; et moi je me sentirais amoindrie. Si j'en venais à vous aimer et à accéder à votre demande, nos relations ne seraient pas sur un pied d'égalité. Vous êtes un roi puissant et mon époux est votre vassal : vous croiriez donc, j'en suis sûre, avoir, dans cet amour, tous les pouvoirs. Mais l'amour n'a de valeur qu'entre égaux. Mieux vaut un homme pauvre mais loyal, sage et plein de mérite : son amour offre plus de joie que celui d'un prince ou d'un roi sans loyauté. Celui qui aime au-dessus de son rang est toujours dans la crainte ! Quant au puissant, bien persuadé que personne ne lui enlèvera son amie, il entend la dominer de son amour ! »

Mais Equitan lui répond : « Dame, pitié ! Ne parlez plus ainsi ! Ce ne sont pas de vrais amants courtois, mais des bourgeois qui barguignent, ceux qui, nantis de richesses ou d'un grand fief, recherchent des femmes inférieures. Il n'est dame au monde, si elle est sage, courtoise, de noble cœur, attachée à son amour et fidèle, qui ne mérite, n'eût-elle que son manteau, qu'un puissant prince et châtelain lui accorde tous ses soins et l'aime loyalement ! Ceux qui sont infidèles en amour et s'appliquent à tricher, sont finalement trompés à leur tour : nous en avons vu maints exemples. Rien d'étonnant à ce qu'il perde son

amie, celui qui le mérite par sa conduite ! Dame très chère, je me donne à vous ! Ne me considérez pas comme votre roi, mais comme votre vassal et votre amant ! Je vous affirme et je vous jure que j'obéirai à vos ordres. Ne me laissez pas mourir d'amour pour vous ! Soyez la maîtresse, et moi le serviteur, soyez hautaine, et moi suppliant ! »

À force de discours et de supplications, le roi a obtenu l'amour de la dame et le don de sa personne. Ils échangèrent leurs anneaux et s'engagèrent leur foi. Fidèles à ce serment, ils s'aimèrent passionnément avant d'en mourir. Ils s'aimèrent longtemps à l'insu de tous. Quand ils devaient se rencontrer, le moment venu, le roi faisait dire à sa suite qu'il se faisait saigner en privé. On fermait les portes des chambres et nul n'aurait eu l'audace d'entrer sans être convoqué. La dame venait de nuit visiter son amant et repartait de nuit. Quant au sénéchal, il présidait la cour, s'occupait des procès et des plaintes.

Le roi aima longtemps la dame et ne désirait pas d'autre femme. Il ne voulait pas se marier et ne supportait pas d'entendre parler mariage. Son entourage le lui reprochait vivement, si bien que la femme du sénéchal en eut des échos qui la chagrinèrent fort : elle craignait de perdre son amant. Un jour qu'ils étaient réunis, au lieu de se montrer joyeuse, de le couvrir de baisers et de caresses et de se livrer aux plaisirs de l'amour, elle se mit à pleurer et à manifester la plus vive douleur. Le roi lui demanda la raison de ses pleurs et elle lui répondit : « Sire, si je pleure, c'est que notre

amour m'est devenu souffrance ! Vous allez vous
marier, épouser la fille d'un roi, et vous me quit-
terez. Je connais bien ces projets et je suis sûre de
ce mariage ! Et moi, hélas, que vais-je devenir ? Je
ne puis attendre de vous que la mort, car je ne vois
nul autre secours ! » Le roi, plein d'amour, lui
répondit : « Ma douce amie, n'ayez pas peur ! Je
n'épouserai aucune femme et je ne vous abandonnerai pour nulle autre. Je vous en fais le serment :
si votre époux mourait, je ferais de vous ma reine
et ma suzeraine ! Personne ne pourrait m'en empêcher ! »

La dame l'a remercié et lui a dit sa reconnaissance : s'il lui donnait l'assurance de ne jamais
l'abandonner pour une autre, elle s'emploierait à
provoquer rapidement la mort de son mari ;
l'entreprise serait facile s'il voulait bien l'aider. Il
accepte : tout ce qu'elle voudra, il le fera de son
mieux, que ce soit folie ou sagesse. « Sire, dit la
dame, si vous le voulez bien, venez chasser dans
la forêt de la région où je demeure et logez dans
le château de mon mari. Vous vous ferez saigner
et, deux jours après, vous prendrez un bain. Mon
mari se fera saigner et prendra un bain en même
temps que vous. N'oubliez surtout pas de lui
demander de vous tenir compagnie ! Moi, je ferai
chauffer l'eau des bains et préparer les deux
cuves. Je ferai bouillir l'eau de son bain :
n'importe qui serait ébouillanté et brûlé avant
même d'y être assis. Quand il sera mort, brûlé,
vous n'aurez qu'à appeler vos hommes et les siens
et leur montrer comment il est mort soudainement

dans son bain. » Le roi lui promet d'agir en tout selon sa volonté.

À peine trois mois plus tard, le roi va chasser dans le pays de son sénéchal. Pour se soigner, il se fait saigner en même temps que le sénéchal. Deux jours plus tard, il demande un bain et le sénéchal s'empresse auprès de lui. « Vous vous baignerez en même temps que moi ! » dit Equitan. Le sénéchal acquiesce. La dame fait chauffer l'eau des bains et apporter les deux cuves. Elle les a placées toutes deux devant le lit, soigneusement. Elle fait apporter l'eau bouillante qu'elle réserve au sénéchal. Le bon chevalier était alors levé et était sorti se promener. La dame rejoint le roi qui la fait asseoir près de lui. Ils se couchent sur le lit du seigneur et s'y livrent aux plaisirs de l'amour. Ils sont allongés ensemble près de la cuve placée devant le lit et font surveiller la porte par une jeune servante qui doit monter la garde. Mais le sénéchal revient, frappe à la porte que la jeune fille tient fermée. Il frappe si fort qu'elle est obligée de lui ouvrir et il découvre alors le roi et sa femme enlacés sur le lit. Quand le roi le voit arriver, il tente de cacher sa honte en sautant à pieds joints dans la cuve, par mégarde, complètement nu. Il meurt ébouillanté. Le piège s'est retourné contre lui, alors que le sénéchal y a échappé. Ce dernier a bien vu ce qui est arrivé au roi. Il se saisit aussitôt de sa femme et la jette dans le bain, la tête la première.

Ainsi moururent les deux amants, le roi d'abord, la dame après lui. À bien réfléchir, on pourrait tirer une leçon de ce récit : celui qui cherche le malheur d'autrui voit le malheur retomber sur lui.

L'aventure est bien telle que je vous l'ai rapportée. Les Bretons en ont tiré un lai, qui conte la mort d'Equitan et de la dame qui l'aimait tant.

3. LE FRÊNE

Je vais vous raconter le lai du *Frêne* d'après le récit que je connais. Il était une fois en Bretagne deux chevaliers qui étaient voisins. C'étaient deux seigneurs puissants et riches, deux vaillants chevaliers, parents, issus du même pays et tous deux mariés. L'une des dames devint enceinte et le moment venu, accoucha de deux enfants. Son époux, tout heureux, veut faire partager sa joie à son bon voisin et lui fait savoir que sa femme vient d'avoir deux fils : voilà de quoi accroître sa maison ! Il veut que son ami tienne l'un des deux sur les fonts baptismaux et lui donne son nom. Le puissant seigneur était assis à table à l'arrivée du messager : celui-ci s'agenouille devant la table et récite son message. Le seigneur rend grâces à Dieu et lui offre un beau cheval. Mais la femme du chevalier, qui était assise à ses côtés, se mit à rire : c'était une femme fausse, orgueilleuse, médisante et envieuse. Comme une folle, elle déclara devant toute sa maisonnée : « Que Dieu m'aide, quelle idée a ce brave homme de faire annoncer à mon mari sa honte et son déshonneur ? Si sa femme a eu deux fils, ils sont déshonorés tous les deux car nous savons bien ce qu'il en est :

on n'a jamais vu et on ne verra jamais une femme
accoucher de deux enfants à la fois, à moins que
deux hommes ne les lui aient faits[1] ! » Son époux
se tourne vers elle et lui reproche vertement ses
paroles : « Dame, taisez-vous donc ! Vous n'avez
aucune raison de parler ainsi. En vérité, on n'a
jamais entendu que du bien de cette dame ! » Mais
les assistants rapportèrent ces paroles, qui furent
répétées et connues dans toute la Bretagne et valu-
rent à leur auteur une haine générale. Mais elle dut
plus tard les payer cher. Toutes les femmes qui les
apprirent, pauvres ou riches, la prirent en haine.
Quant à l'envoyé qui a porté le message, il a tout
raconté à son seigneur qui, tout chagrin à ce récit,
ne sait que faire : il se met, pour ces paroles, à haïr
sa noble femme, à la soupçonner, à la persécuter
alors qu'elle ne le méritait nullement.

La même année, la médisante devient enceinte,
enceinte de deux enfants : voilà sa voisine bien
vengée ! Elle les porte jusqu'au terme et accouche
de deux filles : la voilà désespérée, qui se
lamente : « Hélas, que faire ? Plus jamais je ne
retrouverai l'estime ni l'honneur ! Je suis vraiment
déshonorée ! Mon mari et tous mes parents
n'auront plus jamais confiance en moi quand ils
apprendront cette aventure. Car j'ai moi-même
prononcé mon jugement en disant du mal de
toutes les femmes. N'ai-je pas dit que l'on n'avait

---

1. Il s'agit là d'un motif folklorique très courant : *cf* S. Thompson,
Motif Index of Folk Literature, Bloomington, 1932-1936, T.587.1 (Birth
of Twins Indication of Unfaithfulness in Wife). Sur les croyances
relatives aux naissances gémellaires, voir N. Belmont, *Les Signes de la
naissance*, Paris, 1971.

jamais vu une femme avoir des jumeaux à moins d'avoir connu deux hommes ? Et me voilà avec des jumelles ! Je crois que le malheur est retombé sur moi. Celui qui répand calomnies et mensonges sur autrui ne sait pas ce qui l'attend ! Celui que vous critiquez vaut peut-être mieux que vous ! Pour éviter le déshonneur, je n'ai plus qu'à tuer l'un des enfants ! J'aime mieux expier ce péché devant Dieu que supporter la honte et le déshonneur ! » Ses femmes la consolaient et disaient qu'elles ne la laisseraient pas faire : on ne tue pas un enfant si facilement !

La dame avait une suivante de noble naissance, qu'elle gardait et élevait depuis longtemps et qu'elle aimait beaucoup. La jeune fille est désolée d'entendre sa maîtresse pleurer et se désespérer. Elle vient la consoler. « Dame, dit-elle, cessez donc ce deuil qui ne sert à rien ! Donnez-moi l'un des enfants et je vous en débarrasserai : vous ne serez pas déshonorée et vous ne la verrez plus jamais. Je l'exposerai à la porte d'un monastère, où je la porterai saine et sauve. Un homme de bien la trouvera et, si Dieu le veut, se chargera de son éducation. » La dame, pleine de joie à ces mots, lui promet une riche récompense si elle accepte de lui rendre ce service. Elles enveloppent l'enfant de noble naissance dans une fine toile de lin et la recouvrent d'une soierie ornée de rosaces que le seigneur avait rapportée à sa femme d'un séjour à Constantinople : on n'avait jamais vu si belle étoffe ! La mère attache au bras de l'enfant, avec un de ses lacets, un gros anneau d'or pur d'une once : le chaton portait une hyacinthe et une inscription courait autour de l'anneau. Ainsi quand on trouvera la petite fille, tout le monde pourra être sûr qu'elle est de bonne famille.

La jeune fille prend l'enfant et sort de la chambre. La nuit tombée, elle quitte la ville et prend un grand chemin qui la mène à la forêt. Elle traverse tout le bois avec l'enfant, sans jamais s'écarter de son chemin. Loin sur sa droite, elle avait entendu des aboiements et des chants de coqs : elle trouvera là une ville. Elle marche vite dans la direction où elle entend les chiens aboyer et entre dans une ville riche et belle, où se trouvait un couvent prospère et bien approvisionné : des religieuses y vivaient, je crois, sous la conduite de leur abbesse. La jeune fille voit l'église, les tours, les murailles et le clocher. Vite elle s'approche de la porte, s'arrête, dépose à terre l'enfant qu'elle porte, s'agenouille humblement pour dire sa prière : « Dieu, fait-elle, par ton saint nom, veuille protéger, Seigneur, cet enfant de la mort ! » Sa prière achevée, elle se retourne et voit un gros frêne bien couvert de branches épaisses et de rameaux, dont le tronc se ramifie en quatre : on l'avait planté là pour faire de l'ombre. La jeune fille court au frêne, l'enfant dans les bras : elle dépose son fardeau dans l'arbre et l'abandonne à la grâce du vrai Dieu. À son retour, elle raconte à sa maîtresse ce qu'elle a fait.

L'abbaye avait un portier, chargé d'ouvrir la porte de l'église aux fidèles qui venaient du dehors entendre l'office. Cette nuit-là, il se lève tôt, allume chandelles et lampes, sonne les cloches et ouvre la porte. Sur le frêne il aperçoit l'étoffe : il se dit qu'un voleur l'a cachée ici. Laissant là ses tâches, il se précipite vers l'arbre, tâte l'étoffe et découvre l'enfant. Remerciant Dieu de ce don, il le prend vite et regagne son logis avec sa trouvaille. Sa fille avait perdu son mari et était restée veuve avec un petit enfant au berceau, qu'elle allaitait. Le brave homme l'appelle : « Ma fille, crie-t-il, levez-vous donc ! Allumez-moi du feu et une chandelle ! J'ai là un enfant que je viens de trouver dans le frêne. Donnez-lui de votre lait, réchauffez-le et baignez-le donc ! » La jeune femme obéit, allume le feu, prend l'enfant, le réchauffe, lui donne un bain et le nourrit de son lait. À son bras elle trouve l'anneau. Devant la richesse et la beauté de l'étoffe, ils comprennent bien que la petite fille est de noble naissance.

Dès le lendemain, après l'office, le portier aborde l'abbesse qui sort de l'église pour lui raconter l'aventure et la façon dont il a découvert l'enfant. Celle-ci lui ordonne de lui apporter la petite fille exactement comme il l'a trouvée. Regagnant sa maison, le portier a tôt fait d'apporter l'enfant pour la lui montrer et la dame, la contemplant, décide de l'élever et de la faire passer pour sa nièce. Elle interdit au portier de révéler la vérité, la tint elle-même sur les fonts baptismaux ; et comme on l'avait trouvée dans un frêne, on lui donna le nom de Frêne et désormais on l'appela Frêne. La dame fit passer l'enfant pour sa nièce et la cacha ainsi longtemps, l'élevant dans l'enceinte du couvent. À sept ans, elle était belle et grande pour son âge et dès qu'elle eut atteint l'âge de raison, l'abbesse se chargea de son éducation : elle la chérissait et la parait de riches vêtements.

Quand Frêne atteignit l'âge où Nature forme la beauté, il n'y avait pas en Bretagne de demoiselle aussi belle et aussi courtoise. Sa noblesse et l'excellence de son éducation transparaissaient dans son attitude et ses paroles. On ne pouvait la voir sans l'aimer et se répandre en louanges. Les seigneurs du pays venaient lui rendre visite et demandaient à l'abbesse de leur montrer sa belle nièce et de leur permettre de lui parler.

À Dol vivait un seigneur si bon qu'on n'en a jamais connu de meilleur, ni avant ni après. Je vais vous dire son nom : on l'appelait Goron dans le pays. Il entendit parler de la jeune fille et se mit à l'aimer. Un jour qu'il se rendait à un tournoi, il prit sur le retour le chemin du couvent. Il s'enquiert de la demoiselle : l'abbesse la lui présente. Il la découvre pleine de beauté et de grâce, sage, courtoise et élégante. S'il ne gagne pas son amour, il pourra bien maudire son infortune ! Éperdu, il ne sait que faire car s'il revient souvent, l'abbesse découvrira tout et plus jamais il ne verra la jeune fille. Il imagine alors un stratagème. Il décide d'accroître le domaine du couvent : il lui donnera tant de ses terres qu'il aura lui-même à s'en féliciter, car il veut avoir le droit d'y séjourner comme chez un vassal. Pour appartenir à leur communauté, il prend sur son bien et les dote richement : mais son motif n'est pas le désir de recevoir l'absolution !

À plusieurs reprises, il séjourna donc au couvent, parla à la jeune fille, multiplia les prières et les promesses, si bien qu'elle lui accorda sa requête. Sûr de son amour, il lui dit un jour : « Mon amie, vous avez maintenant fait de moi votre amant. Venez donc vivre avec moi ! Vous savez bien, et j'en suis sûr, que si votre tante découvrait la vérité, elle serait très chagrinée ; et si vous deveniez enceinte chez elle, sa colère serait terrible. Croyez mon conseil et venez avec moi ! Jamais je ne vous abandonnerai et toujours je prendrai soin de vous ! » La jeune fille l'aimait tellement qu'elle lui obéit volontiers et le suivit dans son château. Elle emporte son étoffe et son anneau qui lui rendront peut-être grand service. L'abbesse les lui avait remis en lui racontant par quelle aventure elle lui avait été amenée : elle était couchée dans les branches du frêne et l'homme qui la lui avait amenée lui avait remis l'étoffe et l'anneau. Elle n'avait rien reçu d'autre et avait élevé l'enfant comme sa nièce. La jeune fille conserva précieusement les objets et les enferma dans un coffre qu'elle emporta avec elle soigneusement. Le chevalier qui l'emmena la chérissait et l'aimait tendrement, comme tous ses hommes et ses serviteurs ; pas un seul, petit ou grand, dont elle n'avait gagné l'estime et l'amour par sa noblesse.

Elle vivait depuis longtemps avec son ami quand les vassaux du seigneur se mirent à lui reprocher sa liaison. Ils ne cessaient de l'engager à épouser une femme de noble naissance et à se débarrasser de Frêne : ils seraient heureux qu'il ait un héritier qui puisse après lui recueillir sa terre et son grand domaine et perdraient gros, au contraire, si, pour sa maîtresse, il renonçait à avoir un enfant d'une épouse légitime. S'il ne cède à leur volonté, ils cesseront de le tenir pour leur seigneur et ne le serviront plus jamais de bon gré. Le chevalier a donc accepté de prendre la femme qu'ils lui choisiraient : à eux de la lui chercher ! « Seigneur, disent-ils, tout près d'ici vit un homme de bien, qui est votre pair. Il n'a qu'une fille pour héritière, avec qui vous pouvez avoir beaucoup de terre. La demoiselle se nomme Coudrier et c'est la plus belle du pays. Vous laisserez là le frêne et prendrez en échange le coudrier : le coudrier donne de délicieuses noisettes alors que le frêne ne porte jamais le moindre fruit. Nous demanderons la main de la jeune fille et, si Dieu le veut, nous vous la donnerons en mariage. »

Ils ont donc fait la demande et obtenu tous les accords. Hélas ! quelle malchance que les bons seigneurs n'aient pas su l'aventure des deux jeunes filles, qui étaient sœurs jumelles ! Frêne, elle, avait été cachée dès sa naissance : son ami a donc épousé l'autre. Quand elle apprend ce mariage, elle n'en fait pas moins bon semblant, continue à servir son seigneur et à honorer toute la maisonnée avec le même dévouement. À l'idée de la perdre, les chevaliers de la suite de Goron tout comme les jeunes écuyers et les serviteurs sont remplis de chagrin.

Le jour des noces, Goron invite ses amis. L'archevêque de Dol, son vassal, était là. On lui amène sa fiancée, accompagnée de sa mère. La dame craint que la femme que Goron aime tant ne cherche à perdre la jeune fille auprès de son futur époux. Elle la fera donc chasser de la maison et conseillera à son gendre de la marier à un bon chevalier : elle pense ainsi s'en débarrasser. Les noces sont magnifiques, il y a force réjouissances. Frêne reste dans les appartements : à tout ce qu'elle voit, elle n'oppose pas la moindre marque de chagrin ni de colère. Elle sert la jeune épouse avec grâce et bonté, à l'admiration de tous les spectateurs[1]. Sa mère ne cesse de l'observer et ne ressent pour elle qu'estime et amitié. Elle se dit que si elle avait su quelle femme était Frêne, celle-ci n'aurait pas perdu son seigneur à cause de sa fille.

La nuit venue, Frêne a quitté son manteau de cour pour aller préparer le lit de l'épousée. Elle appelle les chambellans, leur montre comment faire le lit selon le désir de son seigneur, qu'elle connaît bien. Le lit préparé, ils le recouvrent d'une soierie fanée, que Frêne remarque et désapprouve.

---

1. On reconnaît ici le thème de Grisélidis, dont c'est la première apparition dans la littérature. Il ressurgira dans le roman de *Galeran de Bretagne* (début du XIIIᵉ siècle), dans le *Décaméron* de Boccace (X, 10) en 1353, dans les *Contes de Canterbury* de Chaucer en 1373 (*The Clerk's Tale*), puis dans l'*Estoire de Grisélidis* de Philippe de Mézières vers 1384 et, bien sûr, dans le conte de Perrault, *La Marquise de Saluces ou la Patience de Grisélidis* (1691).

Peinée, elle ouvre un coffre et en retire son étoffe de soie qu'elle étend sur le lit de son seigneur pour l'honorer ; car l'archevêque était là pour bénir les nouveaux époux et faire sur eux le signe de croix, comme cela incombait à son ministère.

Les serviteurs partis, la mère amène sa fille pour la mettre au lit et lui dit de se dévêtir. Elle remarque l'étoffe sur le lit : elle n'en a jamais vu d'aussi belle, hormis celle qui enveloppait la fille qu'elle a cachée. À ce souvenir, elle tremble d'émotion et appelle le chambellan : « Dis-moi, dit-elle, sur ta foi, d'où vient cette belle étoffe ? – Dame, je vais vous le dire : c'est la demoiselle qui l'a apportée pour la jeter sur le couvre-lit, qui ne lui semblait pas assez beau. Je crois que cette soierie lui appartient. » La dame appelle Frêne, qui enlève son manteau pour se présenter à elle. La mère l'interroge : « Mon amie, ne me cachez rien ! Où avez-vous trouvé cette belle étoffe ? D'où vous vient-elle ? Qui vous l'a donnée ? Dites-moi vite qui vous l'a remise ! » La jeune fille lui répond : « Dame, c'est ma tante, l'abbesse qui m'a élevée, qui me l'a donnée en me disant de la garder, ainsi qu'un anneau qui m'a été remis avec l'étoffe par ceux qui m'avaient envoyée à elle. – Amie, puis-je voir l'anneau ? – Mais oui, dame, avec plaisir ! » Elle apporte l'anneau que la dame examine et qu'elle reconnaît aussi bien que l'étoffe qu'elle vient de voir. Elle n'a plus aucun doute, elle est sûre que Frêne est bien sa fille. Devant tous elle déclare sans rien cacher : « Mon amie, tu es ma fille ! »

Terrassée par l'émotion, elle tombe évanouie mais dès qu'elle revient à elle, elle fait vite appeler son époux, qui arrive, tout effrayé. Lorsqu'il est dans la chambre, la dame se jette à ses pieds qu'elle couvre de baisers, et lui demande pardon pour son crime. Lui ne connaît rien de l'affaire : « Dame, que dites-vous ? Nous n'avons jamais eu le moindre désaccord. Je vous pardonne tout ce que vous voulez ! Vous n'avez qu'à exprimer votre désir ! – Seigneur, puisque je suis pardonnée, je vais tout vous dire : écoutez-moi ! Jadis, par méchanceté, j'ai parlé follement de ma voisine, je l'ai outragée à propos de ses deux enfants. Mais c'est de moi-même que j'ai dit du mal. Voici la vérité : enceinte, j'ai accouché de deux filles et j'ai caché l'une d'elles. Je l'ai fait abandonner dans un couvent avec votre étoffe de soie et l'anneau que vous m'aviez donné lors de notre première rencontre. Je ne peux plus rien vous cacher : j'ai retrouvé l'étoffe et l'anneau. J'ai reconnu notre fille, que j'avais perdue par ma folie : c'est cette demoiselle, si noble, sage et belle, aimée du chevalier qui vient d'épouser sa sœur ! – Dame, répond le seigneur, je m'en réjouis. Je n'ai jamais connu pareil bonheur ! Dieu nous a fait une grande grâce en nous faisant retrouver notre fille avant que nous n'ayons redoublé notre faute envers elle. Ma fille, avancez ! » Frêne est toute joyeuse de cette aventure. Sans vouloir attendre davantage, son père va lui-même chercher son gendre et l'archevêque en leur racontant l'aventure. À cette nouvelle, le che-

valier éprouve la plus grande joie de sa vie !
L'archevêque conseille d'arrêter là la cérémonie ;
le lendemain, il annulera le premier mariage et
unira Frêne et Goron. On s'accorde à cette décision et dès le lendemain, le premier mariage est
annulé : Goron a épousé son amie et l'a reçue des
mains de son père qui, plein d'amour pour elle, lui
donne la moitié de son héritage. Le père et la mère
assistent aux noces de leur fille ainsi qu'il
convient. On célèbre à nouveau les noces avec
faste : l'homme le plus riche aurait du mal à payer
les dépenses de ce somptueux banquet ! La joie de
la jeune femme, dont la beauté mérite une cou-
ronne, fait écho à la joie de ses parents, qui l'ont
si miraculeusement retrouvée. Puis le seigneur et
sa femme regagnèrent leur pays avec Coudrier,
leur autre fille, qui fit ensuite dans le pays un très
beau mariage.

Quand on apprit cette aventure, dans tous ses
détails, on en tira le lai du *Frêne*, du nom de son
héroïne.

4. BISCLAVRET

Puisque je me mêle d'écrire des lais, je n'ai garde d'oublier *Bisclavret*. *Bisclavret* : c'est son nom en breton, mais les Normands l'appellent *Garou*. Jadis on entendait raconter, et c'était une aventure fréquente, que bien des hommes se transformaient en loups-garous et demeuraient dans les forêts. Le loup-garou, c'est une bête sauvage. Tant que cette rage le possède, il dévore les hommes, fait tout le mal possible, habite et parcourt les forêts profondes. Mais assez là-dessus : c'est l'histoire du Bisclavret que je veux vous raconter[1].

En Bretagne vivait un baron, dont je n'ai entendu dire que le plus grand bien. C'était un beau et un bon chevalier, de conduite irréprochable, apprécié de son seigneur et aimé de tous ses voisins. Il avait une noble épouse pleine de tendresse. Ils s'aimaient. Et pourtant la dame avait un souci : chaque semaine, elle perdait son époux trois jours entiers sans savoir ni ce qu'il devenait, ni où il allait ; et nul des siens n'en savait rien non plus.

---

1. Les contes de loups-garous abondent dans la littérature médiévale : on y trouve la double influence de la littérature antique (en particulier du *Satiricon* de Pétrone) et du folklore.

Un jour qu'il fêtait joyeusement son retour, elle l'a interrogé : «Seigneur, mon doux ami, si j'osais, je vous poserais bien une question. Mais il n'est rien que je craigne autant que votre colère!» À ces mots, il la serre dans ses bras, l'attire contre lui, lui donne un baiser : «Dame, posez donc votre question! Quelle qu'elle soit, je vous donnerai la réponse, si je la connais! — Me voici donc toute soulagée! Seigneur, les jours où vous me quittez, je suis si émue, j'ai le cœur si lourd, j'ai tant peur de vous perdre que si vous ne me réconfortez pas bien vite, je risque d'en mourir sous peu. Dites-moi donc où vous allez, où vous êtes, où vous demeurez! Je vous soupçonne d'aimer une autre femme : si c'est vrai, c'est bien mal à vous! — Dame, dit-il, au nom de Dieu, pitié! Si je vous le dis, il m'arrivera malheur, ce sera la fin de votre amour pour moi et ma propre perte!» Cette réponse, la dame ne la prit certes pas à la légère. Elle le questionna bien des fois, le flatta et le cajola si bien qu'il finit par lui raconter son aventure sans rien lui cacher : «Dame, je deviens loup-garou. Je m'enfonce dans cette grande forêt, au plus profond du bois, et j'y vis de proies et de rapines.» Quand il lui a tout raconté, elle lui demande s'il se dépouille de ses vêtements ou les garde. «Dame, dit-il, je reste nu. — Au nom de Dieu, dites-moi où sont vos vêtements! — Dame, cela, je ne vous le dirai pas, car si je perdais mes vêtements et si l'on découvrait la vérité, je serais loup-garou pour toujours. Je n'aurais plus aucun recours avant qu'ils me soient rendus. Voilà pourquoi je ne veux pas qu'on le sache. – Seigneur, répond la dame, je vous aime plus que tout au monde. Vous ne devez rien me cacher ni me craindre en quoi que ce soit, ou c'est montrer que vous ne m'aimez pas. Qu'ai-je fait de mal ? Pour quelle faute me refusez-vous votre confiance ? Dites-moi le secret et vous ferez bien ! » Elle le tourmente et l'accable tant qu'il ne peut faire autrement que lui révéler le secret. « Dame, dit-il, près de ce bois, près du chemin que j'emprunte, se dresse une vieille chapelle qui depuis longtemps me rend grand service : il s'y trouve, sous un buisson, une grosse pierre creuse, largement évidée. C'est là que je laisse mes vêtements, sous le buisson, jusqu'à ce que je regagne ma maison. »

En apprenant ce prodige, la dame eut si peur qu'elle changea de couleur. L'aventure l'épouvantait. Longtemps elle chercha le moyen de se séparer de son époux. Elle ne voulait plus dormir à ses côtés. Alors elle convoqua par un messager un chevalier de la contrée, qui depuis longtemps l'aimait, multipliait prières, requêtes et offres de service, alors qu'elle ne l'aimait pas et se refusait à lui. Elle lui ouvrit son cœur : « Ami, dit-elle, réjouissez-vous ! Je vais mettre tout de suite un terme à votre souffrance, je ne vous opposerai plus aucun refus. Je vous offre mon amour, je me donne à vous : faites de moi votre amie ! » Le chevalier la remercie avec effusion et ils échangent leurs serments. Alors elle lui raconte comment son mari la quitte, ce qu'il devient, elle lui explique le chemin qu'il emprunte pour gagner la forêt et l'envoie chercher ses vêtements. C'est ainsi que Bisclavret fut trahi et condamné au malheur par sa femme. Comme on avait l'habitude de le voir disparaître, tout le monde le croyait parti pour toujours. On fit pourtant des recherches et des enquêtes, sans trouver trace de lui ; on renonça donc à le trouver. Et le chevalier épousa la dame qu'il aimait depuis si longtemps.

Il s'était écoulé un an entier quand le roi s'en alla chasser, galopant droit vers la forêt où vivait le Bisclavret. Les chiens, lâchés, rencontrent le Bisclavret ; chiens et veneurs le poursuivent toute la journée et manquent le prendre, le déchirer et le mettre à mal. Mais lui, dès qu'il aperçoit le roi, court vers lui implorer sa grâce. Il saisit son étrier, lui baise la jambe et le pied. Le roi, effrayé, appelle tous ses compagnons : « Seigneurs, venez donc voir ce prodige, voyez comme cette bête se prosterne ! Elle a l'intelligence d'un homme, elle implore ma grâce. Faites-moi reculer tous ces chiens et que nul ne la touche ! Cette bête est douée de raison et d'intelligence ! Dépêchez-vous, allons-nous-en ! J'accorde ma protection à cette bête et j'arrête la chasse pour aujourd'hui ! » Ainsi le roi s'en est retourné, suivi par le Bisclavret, qui se tenait près de lui, ne le quittait pas, refusait de l'abandonner. Le roi l'emmène dans son château, ravi de cette aventure dont il n'a jamais vu la pareille. Devant ce prodige, il tient beaucoup à la bête et recommande à tous les siens d'en prendre soin pour l'amour de lui : qu'ils veillent à ne pas lui faire de mal, à ne pas le frapper, à bien lui donner à boire et à manger ! Les barons l'entourent donc de prévenances : tous les jours il allait se coucher parmi les chevaliers, près du roi. Tout le monde l'aimait, tant il était gentil et doux, incapable de faire du mal à quiconque. Il suivait le roi dans tous ses déplacements, refusant de le quitter : le roi pouvait bien voir combien il en était aimé.

Mais écoutez la suite de l'histoire. Le roi réunit un jour à sa cour tous les barons qui tenaient de lui un fief, pour donner à sa fête plus d'éclat et de solennité. Le chevalier qui avait épousé la femme de Bisclavret y est donc allé en riche équipage. Il ne pouvait s'imaginer qu'il le trouverait si près de lui. Mais dès qu'il approcha de la salle du palais, et que le Bisclavret l'aperçut, il s'élança sur lui d'un bond, lui planta ses crocs dans le corps pour l'attirer vers lui. Il lui aurait fait un fort mauvais parti si le roi ne l'avait rappelé en le menaçant d'un bâton. À deux reprises, le même jour, il chercha encore à le mordre. La plupart des assistants étaient ébahis car jamais la bête n'avait manifesté cette agressivité à quiconque. Et tous dans le palais se mettent à dire qu'il n'agit sûrement pas sans raison et que le chevalier a dû lui faire un tort dont il cherche à se venger. Mais cette fois les choses en restent là : la fête s'achève, les barons ont pris congé du roi et regagné leur demeure. Le chevalier attaqué par le Bisclavret s'en est allé parmi les premiers : il faut dire que la haine qu'il inspirait était justifiée.

Peu de temps s'était écoulé, je pense, quand le roi, si sage et courtois, alla chasser, accompagné du Bisclavret, dans la forêt où il l'avait trouvé. Le soir, sur le chemin du retour, il se logea dans le pays. À cette nouvelle, la femme de Bisclavret se pare richement, vient rendre visite au roi dès le lendemain, en lui faisant porter un somptueux cadeau. Quand Bisclavret la voit venir, nul ne peut le retenir. Il se précipite sur elle, comme pris de rage. Il s'est bien vengé, écoutez comment : il lui a arraché le nez ; qu'aurait-il pu lui faire de pire ? De tous côtés on le menace, on s'apprête à le mettre en pièces quand un sage chevalier dit au roi : « Sire, écoutez-moi ! Cette bête a vécu près de vous ; nous tous, nous la voyons et la fréquentons depuis longtemps. Jamais elle n'a touché personne, jamais elle n'a été cruelle qu'envers cette dame. Par la foi que je vous dois, elle a une raison d'en vouloir à cette femme ainsi qu'à son époux. Et c'est justement la femme du chevalier que vous aimiez tant, du chevalier qui a disparu depuis longtemps sans que l'on sache ce qu'il est devenu. Faites donc subir un interrogatoire à la dame pour voir si elle ne vous avouerait pas la cause de cette haine que lui porte la bête. Faites-le-lui dire si elle le sait ! Nous avons vu déjà bien des merveilleuses aventures en Bretagne ! » Le roi suit ce conseil : il retient le chevalier prisonnier, fait saisir la dame et la soumet à la torture. La torture et la peur conjuguées lui font tout avouer : comment elle avait trahi son époux, dérobé ses vêtements, comment il lui avait raconté son aventure, ce qu'il devenait et où il allait. Depuis qu'elle lui avait dérobé ses vêtements, il avait disparu du pays.

Elle était donc persuadée que la bête n'était autre que Bisclavret.

Le roi demande les vêtements et la contraint à les lui apporter. Il les fait donner au Bisclavret. Mais on a beau les placer devant lui, il n'y prête aucune attention. Le sage chevalier qui avait conseillé le roi reprend alors la parole : « Sire, vous avez tort ! Il n'accepterait pour rien au monde de remettre ses vêtements et de quitter sa forme animale sous vos yeux. Vous ne comprenez pas qu'il est rempli de honte ! Faites-le mener dans vos appartements avec les vêtements ; laissons-le là un bon moment. S'il redevient homme, nous le verrons bien ! » Alors le roi lui-même l'a accompagné et a fermé la porte sur lui. Un peu plus tard, il y est retourné, accompagné de deux barons. Tous trois ont pénétré dans la chambre et découvert, sur le propre lit du roi, le chevalier endormi. Le roi court le prendre dans ses bras, il ne se lasse pas de l'embrasser et de le serrer contre lui. Dès qu'il en eut la possibilité, il lui rendit tout son domaine et lui donna encore plus que je ne saurais dire. Quant à la femme, il la bannit et la chassa du pays. Elle partit avec l'homme pour qui elle avait trahi son époux. Elle en eut beaucoup d'enfants, bien reconnaissables ensuite à leur air et à leur visage : car bien des femmes de leur lignage, c'est la vérité, naquirent et vécurent sans nez.

L'aventure que vous venez d'entendre est vraie, n'en doutez pas. On en a fait le lai de *Bisclavret*, afin d'en conserver toujours le souvenir.

5. LANVAL

Je vais vous raconter une aventure qui a donné naissance à un autre lai et dont le héros, un noble chevalier, a pour nom Lanval en breton.

Le roi Arthur, vaillant et courtois, séjournait à Carlisle pour affronter les Écossais et les Pictes qui ravageaient le pays, ne cessant leurs incursions et leurs pillages en terre de Logres[1]. À la Pentecôte, à la belle saison, le roi était donc dans la ville. Il a distribué de riches présents à ses comtes, à ses barons, aux chevaliers de la Table ronde, qui surpassent tous les chevaliers du monde. Il a donné à tous femmes et terres, sauf à un seul de ceux qui l'avaient servi : Lanval. Il l'a oublié et personne, dans l'entourage du roi, n'a cherché à le défendre : la plupart enviaient sa valeur, sa générosité, sa beauté, sa vaillance ; certains, qui lui donnaient des marques d'amitié, n'auraient pas songé à le plaindre en cas de malheur. Il était pourtant fils de roi, de noble naissance, mais loin de ses biens héréditaires. Appartenant à la suite du roi, il a dépensé tout son bien : le roi ne lui a rien donné et Lanval ne lui a rien demandé. Voilà

---

1. La terre de Logres est le royaume d'Arthur, l'Angleterre.

Lanval bien embarrassé, bien malheureux et bien soucieux. N'en soyez pas surpris, seigneurs : un étranger sans appui est bien malheureux dans un autre pays quand il ne sait où trouver du secours.

Le chevalier dont je vous parle, qui a si bien servi le roi, monte un jour à cheval pour se promener. Il quitte la ville, seul, parvient à une prairie, descend de cheval au bord d'une rivière. Mais son cheval tremble violemment ; il le débarrasse de la bride et le laisse se vautrer dans la prairie. Il plie son manteau qu'il place sous sa tête pour se coucher. Affligé de son malheur, il ne voit autour de lui nulle raison d'espérer. Ainsi allongé, il regarde en bas, vers la rivière, et voit venir deux demoiselles, les plus belles qu'il ait jamais vues[1]. Elles étaient somptueusement vêtues de tuniques de pourpre sombre qui épousaient étroitement leur corps et leur visage était d'une merveilleuse beauté. L'aînée portait deux bassins d'or pur d'un merveilleux travail et l'autre, je vous dis la vérité, portait une serviette. Elles viennent tout droit au chevalier étendu sur le sol. Lanval, en homme courtois, se lève pour les accueillir. Elles le saluent puis lui transmettent leur message : « Seigneur Lanval, notre maîtresse, qui est si courtoise et si belle, nous envoie à vous : suivez-nous donc ! Nous vous mènerons à elle sans encombre : voyez, son pavillon est tout proche ! » Le chevalier les suit sans se soucier de son cheval qui

---

1. La scène surnaturelle est annoncée par une accumulation d'indices : l'exclusion du héros, la présence de l'eau, le tremblement du cheval, l'arrivée des messagères de l'autre monde.

broute devant lui l'herbe du pré. Elles l'amènent
au pavillon, merveilleusement beau. Ni la reine
Sémiramis, au faîte de la richesse, de la puissance
et de la sagesse, ni l'empereur Auguste n'auraient
pu en acheter le pan droit. Au sommet, un aigle
d'or dont je ne peux dire la valeur, pas plus que
celle des cordes et des piquets qui soutiennent les
pans : nul roi au monde n'aurait pu les acheter, à
quelque prix que ce fût.

Dans ce pavillon, la jeune fille : la fleur de lys
et la rose nouvelle, fraîche éclose au printemps,
pâlissaient devant sa beauté. Étendue sur un lit
superbe dont les draps valaient le prix d'un château, elle ne portait que sa chemise sur son corps
plein de grâce. Elle avait jeté sur elle, pour avoir
chaud, un précieux manteau de pourpre d'Alexandrie, doublé d'hermine blanche. Mais son flanc
était découvert, comme son visage, son cou et sa
poitrine, plus blancs que l'aubépine. Le chevalier
s'avance jusqu'au lit et la jeune fille lui dit :
« Lanval, mon ami, c'est pour vous que j'ai quitté
ma terre, je suis venue de loin pour vous chercher.
Si vous vous montrez valeureux et courtois, ni
empereur, ni comte, ni roi ne pourront prétendre à
votre bonheur, car je vous aime plus que tout. »

Il la contemple et la voit dans toute sa beauté :
l'amour le pique alors d'une étincelle qui
enflamme et embrase son cœur. Il lui répond gracieusement : « Belle, s'il vous plaisait de m'aimer
et si je pouvais avoir cette joie, je ferais tout ce
que je pourrais pour vous obéir, sagesse ou folie.
J'obéirai à vos ordres, j'abandonnerai tout le

monde pour vous, je ne veux plus jamais vous quitter et ne désire plus rien au monde que votre présence ! » La jeune fille, en écoutant celui qui l'aime tant, lui accorde son cœur et son amour. Voilà Lanval bien heureux ! Puis elle lui fait un don : il aura désormais tout ce qu'il pourra désirer. Qu'il donne et dépense largement, elle lui procurera tout l'argent nécessaire. Voilà Lanval bien pourvu ! Plus il se répandra en largesses, plus il aura d'or et d'argent !

« Ami, dit-elle, je vous mets en garde et je vous adresse à la fois un ordre et une prière : ne vous confiez à personne ! Je vais vous expliquer pourquoi : si l'on apprenait notre amour, vous me perdriez à jamais, vous ne pourriez plus jamais me voir ni me tenir dans vos bras[1] ! » Lanval lui répond qu'il respectera scrupuleusement ses ordres. Il se couche auprès d'elle dans le lit : voilà Lanval bien logé ! Il y est demeuré tout l'après-midi, jusqu'au soir, et serait bien resté plus longtemps s'il avait pu et si son amie le lui avait permis. « Ami, dit-elle, levez-vous ! Vous ne pouvez demeurer ici davantage. Allez-vous-en et laissez-moi. Mais je vais vous dire une chose : quand vous voudrez me parler, pourvu que vous ayez à l'esprit un lieu où l'on peut rencontrer son amie sans honte et sans scandale, j'y serai aussitôt, prête à répondre à votre désir. Vous serez le seul

---

1. Cet interdit est caractéristique des contes « mélusiniens », du nom de la fée Mélusine, fondatrice du lignage et du château de Lusignan. Les fées « mélusiniennes » imposent au mortel qu'elles aiment un tabou : Mélusine interdit à son époux de la voir le samedi, le jour où elle se transforme en serpente.

à me voir et à entendre mes paroles. » Tout heureux de ces promesses, il l'embrasse et se lève. Les demoiselles qui l'ont amené au pavillon l'habillent de riches vêtements. Ainsi vêtu de neuf, il n'est pas plus bel homme dans le monde entier ! Et sa conduite n'est pas celle d'un fou ni d'un rustre. Elles lui apportent l'eau pour se laver les mains et la serviette pour les essuyer ; puis il partage avec son amie le repas du soir, qu'elles apportent : il n'est certes pas à dédaigner. Le service est raffiné et Lanval dîne de bon cœur. Il y avait un divertissement de choix que le chevalier goûtait fort : il ne cessait d'embrasser son amie et de la serrer dans ses bras. Au lever de table, on lui amène son cheval tout sellé : le service est toujours aussi parfait. Il prend congé, monte à cheval pour regagner la cité. Mais il ne cesse de regarder derrière lui.

Lanval, tout troublé, songe à son aventure : plein de doute, abasourdi, il ne sait que penser et n'ose croire que tout cela est vrai. Mais de retour dans son logis, il trouve ses hommes richement vêtus. Il tient cette nuit-là bonne table mais nul ne sait d'où lui vient sa fortune. Dans la ville, il n'est chevalier dans le besoin qu'il ne fasse venir chez lui pour mettre sa richesse à son service. Lanval distribue de riches dons, Lanval paie les rançons des prisonniers, Lanval habille les jongleurs, Lanval prodigue les honneurs, Lanval multiplie les largesses, Lanval donne or et argent : étrangers ou gens du pays, tous ont reçu un don de lui. Lanval vit dans la joie et le plaisir : jour et nuit, il peut voir souvent son amie, prête à répondre à son appel.

La même année, je crois, après la fête de la Saint-Jean, une trentaine de chevaliers se distrayaient dans un jardin, au pied de la tour où logeait la reine. Il y avait parmi eux Gauvain et son cousin, le bel Yvain[1]. Le noble et vaillant Gauvain, qui avait su gagner l'estime de tous, dit alors : « Par Dieu, seigneurs, nous avons mal agi envers notre compagnon Lanval, qui est si généreux et courtois, et fils d'un roi puissant, en oubliant de l'amener avec nous. » Ils retournent donc sur leurs pas, jusqu'au logis de Lanval, qu'ils emmènent avec eux à force de prières.

À une fenêtre sculptée la reine était accoudée, accompagnée de trois dames. Elle aperçoit la suite du roi, reconnaît Lanval et l'observe. Elle envoie l'une des dames chercher ses suivantes, les plus gracieuses et les plus belles, pour aller se distraire dans le jardin avec les chevaliers. Elle en amène plus de trente avec elle, en bas des escaliers. Les chevaliers viennent à leur rencontre, tout joyeux de les voir et les prennent par la main : c'est une courtoise assemblée. Mais Lanval reste à l'écart, loin des autres. Il a hâte d'être avec son amie, de l'embrasser, de la serrer contre lui ; la joie des autres ne l'intéresse guère puisque lui-même n'a pas l'objet de son désir.

---

1. Gauvain, neveu du roi Arthur, incarne l'idéal courtois dans les romans bretons, en particulier chez Chrétien de Troyes ; Yvain est un autre chevalier de la Table ronde, héros du *Chevalier au lion* de Chrétien de Troyes.

Quand le reine le voit seul, elle va tout droit
vers lui, s'assied à ses côtés, lui parle pour lui
révéler le secret de son cœur : « Lanval, depuis
longtemps je vous honore, je vous chéris et je
vous aime ; vous pouvez avoir tout mon amour :
dites-moi donc votre sentiment ! Je me donne à
vous : vous devez être content de moi ! – Dame,
répond Lanval, laissez-moi en paix ! Je ne songe
guère à vous aimer. Je sers le roi depuis longtemps
et je ne veux pas lui être déloyal. Ni pour vous ni
pour votre amour je ne trahirai mon seigneur ! »
Furieuse et déçue, la reine s'emporte : « Lanval,
dit-elle, je crois bien que vous ne goûtez pas ce
genre de plaisir. On m'a dit bien souvent que vous
ne vous intéressez pas aux femmes. Vous préférez
prendre votre plaisir avec de beaux jeunes gens !
Misérable lâche, chevalier indigne, mon époux a
bien tort de vous souffrir auprès de lui : je crois
qu'il en perd son salut ! » Ulcéré par ces paroles,
Lanval répond sans tarder. Mais la colère lui fit
prononcer des paroles dont il devait souvent se
repentir : « Dame, dit-il, je ne sais rien de ce genre
de pratique. Mais j'aime et je suis aimé d'une
femme qui doit l'emporter sur toutes celles que je
connais. Bien plus, apprenez sans détour que la
moindre de ses servantes, la plus humble, vous est
supérieure, madame la reine, pour le corps, le
visage et la beauté, la courtoisie et la bonté ! » La
reine s'éloigne alors et va pleurer dans sa
chambre, désolée et furieuse de se voir ainsi humiliée. Elle se met au lit, malade, et déclare qu'elle

ne se lèvera pas avant d'avoir obtenu justice du roi sur sa plainte.

Le roi revenait de la chasse après une journée très joyeuse. Quand la reine le voit entrer dans sa chambre, elle lui adresse sa plainte, se jette à ses pieds, implore sa pitié et déclare que Lanval l'a déshonorée : il a sollicité son amour et, devant son refus, l'a insultée et humiliée[1]. Il s'est vanté d'avoir une amie si gracieuse, si noble et si fière que la plus humble de ses chambrières vaut mieux que la reine. Le roi, furieux, prête le serment que si Lanval ne peut se justifier devant la cour, il sera brûlé ou pendu. Puis il sort de la chambre, appelle trois barons et les envoie chercher Lanval, qui a déjà bien assez de chagrin et de malheur.

De retour dans son logis, il s'est déjà aperçu qu'il a perdu son amie pour avoir révélé leur amour. Seul dans une chambre, soucieux et angoissé, il ne cesse d'appeler son amie, mais en vain. Il se plaint, il soupire, tombe évanoui à plusieurs reprises. Puis il implore sa pitié, la supplie de parler à son ami, maudit son cœur et sa bouche : c'est une chance qu'il ne se tue pas ! Mais il a beau crier, pleurer, se débattre et se tourmenter, elle refuse d'avoir pitié de lui en lui permettant ne serait-ce que de la voir. Hélas, que va-t-il devenir ? Les envoyés du roi viennent lui dire de se présenter sans délai à la cour : ils sont là sur l'ordre du roi car la reine l'a accusé. Lanval

---

1. On reconnaît là le thème de la femme de Putiphar (Genèse, 39, 7), qui tente de séduire son serviteur Joseph et, repoussée, l'accuse auprès de son époux.

se rend donc à la cour, accablé : il aurait voulu persuader ses compagnons de le mettre à mort.

Devant le roi, il reste triste et silencieux, présente tous les signes d'une profonde douleur. Le roi lui dit avec colère : « Vassal, vous m'avez fait grand tort ! Vous vous êtes lancé dans une bien vilaine affaire en voulant me déshonorer, m'avilir et insulter la reine ! Vous vous êtes follement vanté ! Elle est bien noble, votre amie, si sa servante est plus belle et plus estimable que la reine ! » Lanval se défend d'avoir voulu le déshonneur et la honte de son seigneur (en reprenant mot pour mot les paroles du roi), car il n'a pas sollicité l'amour de la reine. Mais en ce qui concerne ses propres paroles, il reconnaît qu'il s'est vanté de son amour : il le regrette bien car il a ainsi perdu son amie. Sur ce point il accepte d'avance toutes les décisions de la cour. Le roi, furieux contre lui, convoque tous ses hommes pour qu'ils décident de la conduite à tenir : il ne veut pas encourir de reproches.

Les vassaux obéissent, de bon gré ou à contre-cœur, et se rendent tous à la cour. Ils jugent et décident que Lanval doit être ajourné à comparaître, pourvu qu'il laisse à son seigneur des garants qui attesteront qu'il attendra d'être jugé et reviendra se présenter à ses juges. La cour sera alors renforcée, car elle ne comprend pour l'instant que la maison du roi. Puis les barons reviennent auprès du roi et lui exposent la procédure. Le roi demande donc des garants. Mais Lanval, seul et sans ressources, n'a ni parent ni ami.

Alors Gauvain s'avance, accepte d'être son garant, suivi de tous ses compagnons. Le roi leur dit : « J'accepte votre garantie sur toutes les terres et les fiefs que chacun de vous tient de moi. » Les cautions reçues, il ne reste plus à Lanval qu'à rentrer chez lui. Les chevaliers l'accompagnent, le blâmant fort de s'abandonner à une telle douleur, et maudissant son fol amour. Chaque jour ils lui rendent visite pour voir s'il mange et s'il boit : ils craignent qu'il ne se rende malade.

Au jour fixé, les barons se rassemblent. Le roi et la reine sont présents et les garants remettent Lanval à ses juges. Ils sont tous désolés pour lui et il y en a bien cent, je crois, qui feraient tout ce qui est en leur pouvoir pour le libérer sans procès, car il est accusé injustement. Le roi demande que l'on rappelle les termes de la plainte et de la défense : tout dépend maintenant des barons, qui se sont rendus au jugement, soucieux et troublés par la terrible situation de ce noble étranger. Beaucoup veulent sa perte pour complaire à leur seigneur. Mais le duc de Cornouailles déclare : « Nul d'entre nous ne manquera à son devoir. Car le droit doit l'emporter, que cela plaise ou non. Le roi a porté plainte contre son vassal, que je vous ai entendus nommer Lanval. Il l'a accusé de félonie mais aussi de mensonge, à propos de l'amour dont il s'est vanté, encourant ainsi la colère de la reine. Le roi seul l'accuse. Par la foi que je vous dois, il n'aurait pas dû, à dire vrai, porter plainte, n'était qu'un vassal doit toujours honorer son seigneur. Mais le serment de Lanval sera un gage suffisant

et le roi s'en remettra à nous sur ce point. Puis si
Lanval peut produire son garant, c'est-à-dire présenter son amie, et s'il a dit vrai en prononçant les
paroles qui ont courroucé la reine, il obtiendra son
pardon, car il aura prouvé qu'il n'a pas voulu
humilier la reine. Mais s'il ne peut produire son
garant, voici ce que notre devoir nous commande
de lui dire : il ne pourra plus servir le roi, qui
devra le chasser. » On envoie chercher Lanval à
qui l'on demande de faire venir son amie pour le
défendre et lui servir de garant. Mais il répond
qu'il ne peut pas et n'attend d'elle aucun secours.
Les messagers reviennent dire aux juges qu'ils
n'ont à espérer aucun secours pour Lanval. Le roi
les presse de rendre leur jugement car la reine les
attend.

Ils allaient trancher le débat quand ils voient
arriver deux jeunes filles montées sur deux beaux
palefrois qui vont l'amble. Elles étaient très gracieuses et vêtues seulement d'une tunique de
taffetas pourpre qu'elles portaient sur leur peau
nue. Les juges les contemplent avec plaisir. Gauvain, accompagné de trois chevaliers, rejoint
Lanval, lui conte cette arrivée et lui montre les
deux jeunes filles. Tout heureux, il le supplie de
lui dire si c'est là son amie. Mais Lanval répond :
« Je ne sais qui elles sont, ni d'où elles viennent,
ni où elles vont. » Elles avancent, toujours à
cheval, avant de mettre pied à terre devant la table
royale, où est assis le roi Arthur. Aussi courtoises
que belles, elles disent alors : « Que Dieu, qui fait
la lumière et la nuit, garde et protège le roi

Arthur ! Roi, faites préparer des chambres tendues
de soie pour que notre maîtresse puisse y venir :
elle veut vous demander l'hospitalité. » Le roi
accepte volontiers et appelle deux chevaliers qui
les font monter dans les chambres sans qu'elles
ajoutent un mot. Le roi demande à ses barons leur
jugement et leur sentence et dit qu'il est courroucé
de devoir tant attendre. « Seigneur, répondent-ils,
nous nous sommes séparés à l'arrivée de ces
dames sans prendre aucune décision. Nous allons
maintenant reprendre le procès. » Ils se rassemblent donc à nouveau, tout soucieux, dans le bruit
et les querelles.

Au milieu de ce tumulte, ils voient venir le long
de la rue deux jeunes filles en noble équipage,
vêtues de tuniques de soie neuve et montées sur
deux mules d'Espagne. Les vassaux, pleins de
joie, se disent que Lanval, le hardi et le preux, est
maintenant sauvé. Gauvain va le trouver avec ses
compagnons : « Seigneur, dit-il, réjouissez-vous !
Pour l'amour de Dieu, répondez-moi ! Voici venir
deux demoiselles pleines de grâce et de beauté :
c'est sûrement votre amie ! » Mais Lanval répond
aussitôt qu'il ne les reconnaît pas, qu'il ne les a
jamais vues et n'en aime aucune. Les demoiselles
sont alors arrivées et mettent pied à terre devant le
roi. La plupart des assistants louent la beauté de
leur corps, de leur visage et de leur teint : toutes
deux surpassent de loin la reine. L'aînée, courtoise
et sage, transmet gracieusement son message :
« Roi, fais-nous donc donner des chambres pour y
loger notre maîtresse : elle vient ici pour te

parler. » Le roi donne l'ordre qu'on les mène
auprès de celles qui les ont précédées. Elles n'ont
pas à se soucier de leurs mules car plus d'un
s'occupe de les mener aux écuries. Ayant quitté
les demoiselles, le roi ordonne à tous ses barons
de rendre leur jugement : on a trop tardé pendant
la journée et la reine est courroucée de ne pouvoir
manger.

On allait rendre le jugement quand par la ville
on vit s'avancer une jeune fille à cheval, la plus
belle du monde. Elle montait un blanc palefroi, à
la tête et à l'encolure bien faites, qui la portait
avec douceur : il n'est au monde de plus noble
bête. Et son harnais était magnifique : nul comte,
nul roi n'auraient pu l'acheter sans vendre ou
mettre en gage leurs domaines. La dame était
vêtue d'une chemise blanche et d'une tunique
lacées des deux côtés pour laisser apparaître ses
flancs. Son corps était harmonieux, ses hanches
bien dessinées, son cou plus blanc que la neige sur
la branche ; ses yeux brillaient dans son visage
clair, où se détachaient sa belle bouche, son nez
parfait, ses sourcils bruns, son beau front, ses cheveux bouclés et très blonds : un fil d'or a moins
d'éclat que ses cheveux à la lumière du jour. Elle
avait relevé les pans de son manteau de pourpre
sombre, portait un épervier au poing ; un lévrier la
suivait. Un bel écuyer l'accompagnait, portant un
cor d'ivoire. Ils s'avançaient avec grâce le long de
la rue. On n'avait jamais vu pareille beauté, ni en
Vénus, pourtant reine de beauté, ni en Didon, ni
en Lavine. Dans toute la ville, petits et grands,

enfants et vieillards, tous viennent la contempler dès qu'ils la voient passer : je ne plaisante pas en parlant de sa beauté. Elle s'avance lentement et les juges, en la voyant, s'émerveillent : on ne peut la regarder sans se sentir réchauffé de joie ! Même le plus vieux des chevaliers serait volontiers accouru se mettre à son service si elle avait bien voulu de lui ! Les amis de Lanval viennent lui parler de la jeune fille qui arrive et qui, si Dieu le veut, le fera libérer. « Seigneur, compagnon, il en vient une qui n'est ni rousse ni brune, qui est la plus belle du monde, la plus belle de toutes les femmes ! » À ces mots, Lanval relève la tête, reconnaît son amie et soupire. Le sang lui monte au visage et il se hâte de parler : « Ma foi, c'est mon amie ! Peu me chaut maintenant qu'on me tue, si elle n'a pas pitié de moi, car j'ai le bonheur de la voir ! »

La jeune fille entre dans la salle du château : on n'y a jamais vu si belle femme. Elle met pied à terre devant le roi et tous la voient bien. Elle laisse même tomber son manteau pour qu'on la voie mieux encore. Le roi, très courtois, se lève bien vite pour l'accueillir et tout le monde s'empresse de lui faire honneur et de la servir. Quand on l'a bien contemplée et qu'on a fait l'éloge de sa beauté, elle déclare sans vouloir s'attarder : « Arthur, écoute-moi, ainsi que tous les barons que je vois ici ! J'ai aimé un de tes vassaux : le voici, c'est Lanval ! On l'a accusé devant ta cour et je ne veux pas qu'il soit victime de ses paroles. Sache bien que le tort est du côté de la reine : jamais il n'a sollicité son amour. Quant à sa vantardise, s'il peut en être justifié par ma présence, alors que tes barons le libèrent ! » Le roi accepte de se soumettre au jugement que prononceront ses barons dans les règles. Tous, sans exception, jugent que Lanval s'est bien justifié. Ils décident donc de le libérer.

La jeune fille s'en va sans que le roi puisse la retenir ; tous s'empressent à la servir. Au sortir de la salle, on avait placé un grand perron de marbre gris qui aidait les chevaliers alourdis par leurs armes à monter à cheval en quittant la cour du roi. Lanval est monté sur la pierre et quand la jeune fille franchit la porte, d'un bond, il saute derrière elle sur le palefroi. Il s'en va avec elle en Avalon, comme nous le racontent les Bretons. C'est dans cette île merveilleuse que le jeune homme a été enlevé[1]. On n'en a plus jamais entendu parler et mon conte s'arrête là.

---

1. Avalon, l'île des pommes, l'île des femmes, l'île de la fée Morgane, est l'une des représentations de l'autre monde celtique.

6. LES DEUX AMANTS

Jadis survint en Normandie l'aventure souvent contée de deux enfants qui s'aimèrent et moururent tous deux de cet amour. Les Bretons en firent un lai qu'on appela *Les Deux Amants*.

Il est bien vrai qu'en Neustrie, que nous appelons maintenant Normandie, se dresse une montagne d'une hauteur prodigieuse : à son sommet reposent les deux enfants. Près de cette montagne, à l'écart, un roi qui était seigneur des Pitrois avait fait bâtir avec le plus grand soin une cité, qu'il avait nommée Pîtres, du nom de ses sujets : ce nom lui est resté, la ville et les maisons existent encore et la contrée, chacun le sait, porte encore le nom de val de Pîtres[1].

Ce roi avait une fille, belle et courtoise demoiselle. C'était son seul enfant et il l'aimait et la chérissait tendrement. De puissants seigneurs avaient demandé sa main et l'auraient volontiers épousée. Mais le roi ne voulait la donner à per-

---

1. Pîtres, commune de l'Eure. On y trouve aujourd'hui encore la Côte des Deux Amants, haute de 138 mètres. Au sommet de la côte avait été bâti au XIIe siècle le prieuré des Deux Amants, vraisemblablement dédié à un couple ascétique. La légende étiologique rapportée par Marie, et encore vivante, justifie le nom du prieuré et de la colline.

sonne car il ne pouvait s'en séparer. Elle était son seul réconfort et il passait ses jours et ses nuits auprès d'elle car elle le consolait de la perte de la reine. Bien des gens critiquèrent cette attitude et même les siens la lui reprochèrent[1]. Apprenant qu'on en parlait, plein de tristesse et de douleur, il se mit à chercher le moyen de se délivrer à la fois des blâmes et des demandes en mariage. Il fit donc une proclamation dans tout le pays : tout prétendant devait bien savoir qu'il lui faudrait porter la jeune fille dans ses bras, sans jamais s'arrêter, jusqu'au sommet de la montagne qui dominait la cité ; le sort et le destin l'exigeaient. La nouvelle se répandit dans le pays et beaucoup tentèrent l'épreuve sans succès. Quelques-uns réussirent à porter la jeune fille jusqu'à mi-pente mais ils ne purent aller plus loin et durent s'arrêter là. Elle demeura donc longtemps sans prétendant car plus personne ne voulait demander sa main.

Dans le pays vivait un jeune homme, noble et gracieux, fils d'un comte. Plus que tout autre, il cherchait à mériter l'estime par sa valeur. Il fréquentait la cour du roi où il faisait de nombreux séjours. Il s'éprit de la fille du roi et lui demanda plusieurs fois de lui accorder son amour et de devenir son amie. Voyant sa vaillance et sa courtoisie, et l'estime où le tenait le roi, le jeune fille lui accorda son amour et lui l'en remercia humblement. Ils se rencontrèrent souvent et s'aimèrent

---

1. C'est le thème de Peau d'Âne, abondamment illustré dans la littérature du Moyen Âge : voir en particulier le roman de Philippe de Beaumanoir, *La Manekine*, trad. C. Marchello-Nizia, Paris, Stock, 1980.

loyalement tout en se cachant de leur mieux afin de ne pas être surpris. Ils souffraient beaucoup de cette contrainte mais le jeune homme préférait cette souffrance à une précipitation qui les aurait perdus. L'amour le rendait donc bien malheureux.

Un jour le jeune amant, si beau, si valeureux, vient se lamenter auprès de son amie et la supplie anxieusement de partir avec lui : il ne peut plus supporter cette souffrance. S'il la demande à son père, il sait bien que le roi aime trop sa fille pour consentir à la lui donner, s'il ne parvient pas à la porter dans ses bras jusqu'au sommet de la montagne. La demoiselle lui répond : « Mon ami, je sais bien que vous n'êtes pas assez fort pour me porter jusque-là. Mais si je partais avec vous, mon père en aurait tant de douleur que sa vie ne serait plus que tourment. Je l'aime et je le chéris tant que je ne veux pas le chagriner. Il faut trouver une autre solution car je ne veux pas de celle-là. J'ai à Salerne une parente, une femme influente et fortunée qui vit là depuis plus de trente ans et qui a tant pratiqué la médecine qu'elle connaît tous les remèdes, toutes les propriétés des plantes et des racines[1]. Si vous allez lui porter une lettre de moi et si vous lui expliquez notre aventure, elle trouvera le moyen de nous aider. Elle vous donnera des électuaires et des breuvages qui vous rempliront de force et de vigueur. À votre retour, vous me demanderez à mon père, qui vous prendra pour un enfant et vous rappellera qu'il n'est pas ques-

---

1. L'école de médecine de Salerne était célèbre au Moyen Âge.

tion de me donner à un homme, quelle que soit son insistance, s'il ne peut me porter dans ses bras en haut de la montagne sans s'arrêter. Acceptez alors de bonne grâce, puisqu'il faut en passer par là. »

Le jeune homme, tout joyeux de cette nouvelle et de ce conseil, remercie son amie et lui demande congé. Il retourne dans son pays et prépare vite de riches vêtements et de l'argent, des palefrois et des chevaux de somme. Il n'emmène avec lui que ses proches et s'en va faire un séjour à Salerne pour rencontrer la tante de son amie. Il lui remet la lettre, qu'elle lit soigneusement. Elle garde alors le jeune homme auprès d'elle pour tout connaître de lui. Elle le fortifie avec ses remèdes puis lui remet un philtre : si épuisé, si malade, si exténué soit-il, le philtre lui rendra ses forces, dans toutes les veines et dans tous les os de son corps, et dès qu'il l'aura bu, il retrouvera toute sa vigueur. Le jeune homme verse donc le philtre dans une fiole et le rapporte dans son pays.

Dès son retour, le jeune homme, tout joyeux, quitte vite sa terre pour aller demander au roi la main de sa fille en acceptant de la prendre dans ses bras pour la porter jusqu'en haut du mont. Le roi ne l'éconduit pas mais le tient pour un fou car il est tout jeune : tant de sages et de valeureux chevaliers ont déjà tenté l'épreuve sans le moindre succès ! Il lui fixe cependant une date, convoque ses vassaux, ses amis et tous ceux qu'il peut réunir, sans oublier personne. Tous sont venus pour voir la fille du roi et le jeune homme qui tente l'aventure de la porter en haut de la montagne. La demoiselle se prépare : elle jeûne et se prive de manger pour être plus légère et aider ainsi son ami.

Le jour venu, tout le monde est là, et le jeune homme le tout premier, qui n'a pas oublié son philtre. Dans la prairie qui domine la Seine, au milieu de la foule assemblée, le roi amène sa fille, vêtue de sa seule chemise. Le jeune homme la prend dans ses bras. Il a le philtre dans sa petite fiole : sûr de la loyauté de son amie, il le lui confie. Mais je crains que le philtre ne lui serve guère, car il ne connaît pas la mesure. D'un pas rapide il emporte son amie et gravit la montagne jusqu'à mi-pente. Il est si joyeux de la tenir dans ses bras qu'il ne pense plus au philtre ; mais elle sent bien qu'il s'affaiblit : « Ami, dit-elle, buvez donc ! Je sais bien que vous vous fatiguez : reprenez donc des forces ! » Mais le jeune homme lui répond : « Belle amie, je sens mon cœur si fort que pour rien au monde je ne voudrais m'arrêter, pas même le temps de boire, tant que je pourrai faire trois pas ! La foule se mettrait à crier et à m'étourdir de bruit : elle aurait tôt fait de me troubler. Je ne veux pas m'arrêter ici ! »

Aux deux tiers de la pente, il a failli tomber. La jeune fille ne cesse de le supplier : « Ami, buvez votre remède ! » Mais jamais il ne veut l'écouter ni la croire. Douloureusement, il poursuit son chemin, la jeune fille dans les bras. Il parvient au sommet, mais l'épreuve a été trop dure : il tombe pour ne pas se relever. Il a rendu l'âme. La jeune fille, le voyant ainsi, le croit évanoui et s'agenouille près de lui pour lui donner son philtre ; mais il ne peut plus lui parler : il est mort, comme je vous l'ai dit. Elle se lamente sur lui à grands cris et jette la fiole qui contient le philtre : celui-ci se répand sur la montagne et l'imprègne, pour le plus grand bien du pays et de toute la contrée. Car on y trouve depuis bien des plantes bienfaisantes qui ont poussé grâce au philtre.

Revenons à la jeune fille. En voyant son ami perdu, elle éprouve la plus grande souffrance de sa vie : elle s'allonge près de lui, le serre dans ses bras, lui embrasse longuement le visage et la bouche. Le deuil l'atteint alors au cœur : c'est là que meurt la demoiselle, si noble, si sage et si belle.

Le roi et tous les assistants, ne les voyant pas revenir, sont allés à leur recherche et les ont trouvés. Le roi tombe à terre, évanoui ; quand il revient à lui, il se lamente et même les étrangers se joignent à son deuil. On les a laissés trois jours sur la montagne puis on a fait venir un cercueil de marbre où l'on a couché les deux enfants. Sur le conseil des assistants, on les a enterrés en haut de la montagne avant de se séparer.

L'aventure des deux enfants a valu à la montagne son nom de « Mont des Deux Amants ». Tout s'est passé comme je vous l'ai raconté et les Bretons en ont fait un lai.

7. YONEC

Puisque j'ai commencé à écrire des lais, nulle peine ne me fera renoncer : je mettrai en vers toutes les aventures que je connais. J'ai bien envie de vous parler tout d'abord d'Yonec, du lieu de sa naissance et de la rencontre de ses parents. Celui qui engendra Yonec se nommait Muldumarec.

Jadis vivait en Bretagne un vieillard très puissant. Il était seigneur de Caerwent et maître reconnu de tout le pays. La cité se dresse sur la Duelas et jadis les navires y passaient. Le seigneur était très âgé. Comme il devait laisser un riche héritage, il prit femme pour avoir des enfants qui hériteraient de lui. La jeune fille qu'on lui donna était de haut rang, sage et courtoise, et d'une grande beauté : il s'en éprit aussitôt, pour sa beauté. Qu'en dire de plus ? Elle n'avait sa pareille d'ici à Lincoln ni de Lincoln jusqu'en Irlande. Ce fut un crime que de la lui donner. Comme elle était belle et gracieuse, il ne songeait qu'à la surveiller. Il l'a enfermée dans son donjon, dans une grande chambre dallée, en compagnie de sa sœur, âgée et veuve, qu'il lui a donnée comme compagne pour la garder de plus près. Il y avait aussi d'autres femmes, je crois, isolées dans une

autre pièce ; mais la dame n'avait pas le droit de
leur adresser la parole sans l'autorisation de la
vieille. Elle demeura ainsi emprisonnée plus de
sept ans sans sortir du donjon pour aller voir un
parent ou un ami ; et le couple n'eut aucun enfant.
Quand le seigneur allait se coucher, pas le
moindre chambellan, pas le moindre portier
n'aurait osé entrer dans la chambre pour tenir une
chandelle devant lui. La dame vivait dans la tristesse, les larmes et les soupirs. Elle perdait sa
beauté, qu'elle négligeait. Elle ne souhaitait
qu'une chose : mourir rapidement.

C'était aux premiers jours d'avril, quand les
oiseaux font entendre leur chant[1]. Le seigneur
s'était levé de bon matin pour aller à la chasse. Il
ordonne à la vieille de se lever et de fermer la
porte derrière lui. Elle lui obéit puis se dirige vers
une autre pièce avec son psautier, pour y lire ses
versets. La dame, éveillée et en larmes, voit la
lumière du soleil. S'apercevant que la vieille a
quitté la chambre, elle se répand en plaintes, en
soupirs, en larmes et en lamentations : « Hélas,
que je suis malheureuse ! Mon destin est bien
triste : je suis prisonnière dans ce donjon et n'en
sortirai que morte. Mais que craint donc ce vieillard jaloux pour m'emprisonner si cruellement ?
Quelle folie, quelle sottise d'avoir toujours peur
d'être trahi ! Je ne peux pas aller à l'église pour y

---

1. Deux motifs lyriques se succèdent ici : celui de la mal-mariée
(comme dans *Guigemar*, *Le Rossignol* et *Milon*) et celui de la reverdie
(retour de la belle saison), prélude traditionnel à la scène amoureuse
(comme dans *Le Rossignol*).

écouter l'office divin. Si seulement je pouvais rencontrer des gens, sortir me distraire avec lui, je lui ferais meilleur visage, même en me forçant un peu ! Maudits soient mes parents et tous ceux qui m'ont donnée en mariage à ce jaloux ! Elle est solide, la corde sur laquelle je tire ! Il ne mourra donc jamais ! On a dû le plonger dans le fleuve d'enfer au moment de son baptême : ses nerfs sont solides, comme ses veines toutes pleines de sang vigoureux ! J'ai souvent entendu conter que jadis dans ce pays des aventures merveilleuses rendaient la joie aux malheureux ! Les chevaliers trouvaient les femmes de leurs rêves, nobles et belles, et les dames trouvaient des amants, beaux et courtois, preux et vaillants, sans encourir le moindre blâme, car elles étaient les seules à les voir. Si c'est possible et si quelqu'un a déjà connu pareille aventure, Dieu tout-puissant, exauce mon désir ! »

Elle vient d'achever sa plainte quand elle aperçoit l'ombre d'un grand oiseau à une fenêtre étroite : elle ne sait ce que c'est. L'oiseau pénètre dans la chambre en volant : il a des lanières aux pattes et ressemble à un autour de cinq ou six mues[1]. Il se pose devant la dame : après quelque temps, quand elle l'a longtemps contemplé, il devient un beau et gracieux chevalier. La dame assiste à ce prodige : son sang ne fait qu'un tour ; de peur, elle se couvre la tête de son voile. Mais le chevalier lui adresse courtoisement la parole :

---

1. On reconnaît ici le conte populaire de l'Oiseau bleu, principalement connu par la rédaction de Mme d'Aulnoy.

« Dame, n'ayez pas peur, c'est un noble oiseau que l'autour ! Même si ce mystère vous demeure obscur, rassurez-vous et faites de moi votre ami ! C'est dans ce but que je suis venu. Je vous aime et vous désire depuis bien longtemps ; je n'ai jamais aimé d'autre femme et n'en aimerai jamais d'autre que vous. Mais je ne pouvais pas vous rejoindre ni sortir de mon pays si vous ne m'appeliez d'abord. Maintenant je puis être votre ami ! »

Rassurée, la dame se découvre la tête et répond au chevalier qu'elle ferait volontiers de lui son amant s'il croyait en Dieu et si leur amour était ainsi possible. Car il est si beau qu'elle n'a jamais vu de sa vie et ne verra jamais si beau chevalier. « Dame, répond-il, vous avez raison. Pour rien au monde je ne voudrais qu'on m'accuse et qu'on me soupçonne. Je crois profondément en notre Créateur, qui nous a délivrés du malheur où nous avait plongés notre père Adam en mordant dans la pomme d'amertume. Il est, sera et fut toujours vie et lumière pour les pécheurs[1]. Si cette profession de foi est insuffisante, appelez votre chapelain ! Dites que vous vous sentez malade et que vous voulez recevoir le sacrement que Dieu a établi dans le monde pour le salut des pécheurs. Je vais prendre votre forme, recevoir le corps de Notre-Seigneur et dire mon Credo. Vous n'aurez plus la moindre crainte ! » Et elle approuve ses paroles. Il

---

1. Le merveilleux païen des contes populaires est souvent christianisé dans la littérature médiévale. Comme Muldumarec, la fée Mélusine (dans les romans que lui consacrent Jean d'Arras et Coudrette vers 1390-1400) récite son Credo à Raimondin pour le rassurer.

se couche auprès d'elle dans le lit ; mais il ne veut pas la toucher, ni la serrer contre lui, ni l'embrasser.

Voici que revient la vieille, qui trouve la dame éveillée : elle lui dit qu'il est temps de se lever et veut lui apporter ses vêtements. Mais la dame dit qu'elle est malade : il faut vite lui quérir le chapelain, car elle a grand-peur de mourir. La vieille répond : « Vous attendrez ! Mon seigneur est à la chasse et personne n'entrera ici que moi ! » La dame, éperdue, feint de s'évanouir. La vieille, effrayée, déverrouille la porte de la chambre et appelle le prêtre qui arrive en toute hâte avec l'hostie. Le chevalier la reçoit et boit le vin du calice. Puis le chapelain repart et la vieille referme la porte. La dame est étendue près de son ami : je n'ai jamais vu si beau couple ! Ils ont bien ri et joué, parlé de leur amour, puis le chevalier a pris congé : il veut regagner son pays. Elle le prie doucement de revenir souvent la voir.

« Dame, dit-il, dès que vous le voudrez, je serai là en moins d'une heure. Mais veillez bien à observer la mesure afin que nous ne soyons pas surpris. Cette vieille nous trahira et nous guettera nuit et jour. Elle découvrira notre amour et dira tout à son seigneur. Si tout se passe comme je vous le prédis, si nous sommes ainsi trahis, je ne pourrai pas échapper à la mort. » Alors le chevalier s'en va, laissant son amie toute joyeuse.

Le lendemain, elle se lève en bonne santé, reste gaie toute la semaine ; elle prend grand soin de sa

personne et retrouve toute sa beauté. Elle dédaigne
maintenant toutes les distractions et préfère rester
dans sa chambre. Elle veut souvent voir son ami
et prendre son plaisir avec lui : dès que son mari
s'en va, de nuit, de jour, tôt ou tard, son amant
répond à son désir. Que Dieu lui donne d'en jouir
longtemps ! La grande joie que lui donnent ces
visites l'a complètement transformée.

Mais son mari, rusé, s'aperçoit bien qu'elle a
changé. Soupçonnant sa sœur, il l'interpelle un
jour, lui dit qu'il s'émerveille de voir la dame faire
tant de toilette et lui demande ce qui se passe. La
vieille répond qu'elle n'en sait rien : nul ne peut
parler à la dame, et elle n'a ni amant ni ami. Mais
elle reste seule plus volontiers qu'auparavant ;
c'est la seule chose que la vieille ait remarquée.
Le seigneur répond alors : « Ma foi, je vous crois.
Voici ce que vous allez faire. Le matin, quand je
serai levé et que vous aurez refermé la porte, faites
semblant de sortir et laissez-la seule dans son lit.
Puis cachez-vous pour l'observer et découvrez les
causes de cette grande joie ! » Ils s'arrêtent à cette
décision et se quittent. Hélas ! qu'ils sont
infortunés, ceux que l'on veut ainsi épier pour les
trahir et leur tendre un piège !

Deux jours après, à ce qu'on m'a raconté, le
seigneur fait semblant de partir en voyage. Il
explique à sa femme que le roi l'a convoqué mais
qu'il reviendra bien vite. Il sort de la chambre en
fermant la porte. Alors la vieille, qui s'était levée,
s'est cachée derrière une tenture d'où elle pourra
voir et entendre tout ce qu'elle a envie de savoir.

La dame, étendue, ne dort pas et appelle son ami de tous ses vœux. Il arrive sans tarder, sans dépasser le délai ni l'heure. Ils sont tout aux joies de l'amour, dans leurs paroles et dans leurs gestes. Mais arrive l'heure où il doit se lever et partir. La vieille l'observe et voit comment il est arrivé, comment il est parti. Elle est épouvantée de le voir sous la forme d'un homme puis sous celle d'un autour. Alors au retour du seigneur, qui n'était pas allé bien loin, elle lui découvre le secret du chevalier, qui le plonge dans le tourment.

Il se hâte de faire fabriquer des pièges pour tuer le chevalier : il fait forger de grandes broches de fer aux pointes acérées : on ne pourrait trouver rasoir plus tranchant. Quand elles sont toutes prêtes, et garnies de pointes disposées comme les barbes d'un épi, il les place sur la fenêtre, bien fixées et bien serrées, là où le chevalier passe quand il rejoint la dame. Dieu, quel malheur qu'il ne sache quelle trahison machinent ces félons ! Le lendemain, de bon matin, le seigneur, levé avec le jour, déclare qu'il veut aller chasser. La vieille l'accompagne puis se recouche pour dormir, car il n'y avait pas encore de lumière. La dame, éveillée, attend celui qu'elle aime d'amour loyal et se dit qu'il pourrait maintenant venir et demeurer avec elle tout à loisir.

Dès qu'elle en a émis le vœu, il vole sans tarder jusqu'à la fenêtre ; mais les broches sont sur son passage et l'une d'elles lui transperce le corps, faisant jaillir son sang vermeil. Quand il se sent blessé à mort, il se dégage du piège, pénètre dans

la chambre, se pose sur le lit devant la dame : les
draps sont couverts de sang. Elle voit le sang et la
plaie, qui la remplissent de désespoir et d'épou-
vante. « Ma douce amie, lui dit-il, je perds la vie
pour vous avoir aimée. Je vous avais prédit ce qui
arriverait, et que votre attitude causerait notre
mort. » À ces mots, elle tombe évanouie et
demeure longtemps comme morte. Il la console
doucement en lui disant que sa douleur est inutile.
Elle porte un enfant de lui, un fils qui sera preux
et vaillant : c'est lui qui la réconfortera. Elle lui
donnera le nom d'Yonec et il les vengera tous les
deux en tuant son ennemi. Mais il ne peut
demeurer plus longtemps car sa plaie ne cesse de
saigner. Péniblement il est parti. Et elle le suit en
criant sa douleur.

Elle s'échappe par une fenêtre : c'est un prodige
qu'elle ne se tue pas, car elle saute d'une hauteur
de vingt pieds. Vêtue de sa seule chemise, elle suit
les traces du sang que le chevalier perd le long du
chemin. Elle marche sans s'arrêter et voici qu'elle
arrive à une colline dans laquelle il y avait une
ouverture tout arrosée de sang. Elle ne peut rien
voir au-delà de cette entrée. Persuadée que son
ami est entré dans la colline, elle a vite fait d'y
pénétrer. Malgré l'obscurité, elle poursuit tout
droit son chemin et finit par sortir de la colline et
se trouver dans une très belle prairie. Épouvantée
de voir l'herbe toute mouillée de sang, elle suit les
traces à travers la prairie. Bientôt elle découvre
une cité, entièrement close de remparts. Maisons,
salles, tours, tout semble fait d'argent. Les

bâtiments sont superbes. Du côté du bourg on voit les marais, les forêts et les terres en défens[1] ; de l'autre côté, une rivière coule autour du donjon : c'est là qu'abordent les navires, ils sont plus de trois cents. Du côté de la vallée, la porte était ouverte et la dame entre dans la ville, suivant toujours les traces de sang frais à travers le bourg et jusqu'au château. Personne ne lui adresse la parole, elle ne trouve ni homme ni femme. Elle parvient au palais, dans la salle pavée qu'elle trouve ensanglantée. Elle entre dans une belle chambre où dort un chevalier ; mais elle ne le reconnaît pas et poursuit plus avant jusqu'à une autre chambre, plus grande, meublée seulement d'un lit où dort un chevalier ; elle la traverse encore.

Dans la troisième chambre enfin, elle a trouvé le lit de son ami : les montants en sont d'or pur ; les draps, je ne saurais les évaluer ; les chandeliers, où des cierges brûlent nuit et jour, valent tout l'or d'une cité. Au premier regard, elle reconnaît le chevalier, s'avance vers lui toute bouleversée et tombe sur lui évanouie. Et lui, qui l'aime tant, la reçoit dans ses bras, déplorant longuement son infortune. Quand elle revient à elle, il la réconforte tendrement. « Douce amie, je vous en conjure au nom de Dieu, allez-vous-en, fuyez d'ici ! Je vais bientôt mourir, au milieu du jour. Et le deuil sera tel que si l'on vous trouvait ici, on vous ferait un mauvais parti. Les miens auront tôt

---

1. Il s'agit d'une terre clôturée dont l'entrée est interdite.

fait d'apprendre que je suis mort pour l'amour de
vous. Je suis très inquiet pour vous ! – Ami, lui
répond la dame, j'aime mieux mourir avec vous
que continuer à souffrir avec mon mari. Si je
retourne à lui, il me tuera ! » Mais le chevalier la
rassure et lui donne un petit anneau en lui expliquant qu'aussi longtemps qu'elle l'aura au doigt,
son mari n'aura aucun souvenir de l'aventure et ne
la tourmentera pas. Il lui confie et lui remet son
épée en la conjurant de ne la donner à personne
mais de la garder pour son fils. Quand il aura
grandi et sera devenu un chevalier preux et vaillant, elle l'amènera, avec son mari, à une fête où
elle se rendra. Ils parviendront dans une abbaye et,
devant une tombe qu'ils verront, on leur rappellera
l'histoire de sa mort et du crime perpétré contre
lui. Alors elle remettra l'épée à son fils et lui
racontera l'aventure : comment il est né, qui l'a
engendré. On verra bien comment il réagira.

Après ces recommandations, il lui donne une
robe précieuse qu'il lui ordonne de revêtir et
l'oblige à le quitter. Elle s'en va avec l'anneau et
l'épée qui la réconfortent. Mais à la sortie de la
ville, elle n'a pas parcouru une demi-lieue quand
elle entend les cloches sonner et le deuil s'élever
dans le château pour la mort du seigneur. Elle
comprend qu'il est mort et de douleur s'évanouit
à quatre reprises. Revenant à elle, elle poursuit son
chemin vers la colline. Elle y pénètre, la traverse
et regagne son pays. Auprès de son mari elle vécut
ensuite bien des jours sans jamais entendre le

moindre reproche, la moindre accusation ni la moindre raillerie.

Son fils est né, il a grandi, entouré de soins et d'affection. On l'a nommé Yonec. Dans le royaume, il n'était pas de chevalier si beau, si preux ni si vaillant, si prodigue en largesses ni si généreux. Quand il en a eu l'âge, on l'a armé chevalier et la même année, écoutez ce qui est arrivé ! À la fête de saint Aaron, qu'on célèbre à Caerleon[1] et dans bien d'autres cités, le seigneur avait été invité avec ses amis, selon la coutume du pays : il devait amener sa femme et son fils, en riche équipage. Ils sont donc partis mais ils ne savent pas où les conduit le destin. Ils ont avec eux un serviteur qui les a guidés tout droit jusqu'à un château, le plus beau du monde. Il s'y trouvait une abbaye peuplée de très pieuses personnes. Le jeune homme qui les conduit à la fête les fait ici loger. On les sert dans la chambre de l'abbé, avec beaucoup d'honneurs. Ils vont le lendemain entendre la messe avant de partir. Mais l'abbé vient les prier de rester : il veut leur montrer son dortoir, son chapitre et son réfectoire. Par reconnaissance pour son hospitalité, le seigneur accède à son vœu.

Le jour même, après le repas, ils visitent donc les bâtiments de l'abbaye. En entrant dans le chapitre, ils découvrent une grande tombe, couverte d'une soierie ornée de rosaces et coupée par une broderie d'or. À la tête, aux pieds et aux côtés du

---

1. Ville du pays de Galles.

mort, vingt cierges allumés, dans des chandeliers d'or fin ; des encensoirs d'améthyste répandent toute la journée de l'encens pour mieux honorer cette tombe. Les visiteurs demandent aux gens du pays qui repose dans cette tombe. Les autres se mettent alors à pleurer et à leur expliquer que c'était le meilleur, le plus fort et le plus fier, le plus beau et le plus aimé de tous les chevaliers du monde. Il avait été le roi de ce pays et jamais on n'en avait connu de plus courtois. Mais à Caerwent il avait été pris dans un piège et tué pour l'amour d'une dame : « Depuis nous n'avons plus de seigneur, mais nous attendons depuis longtemps, selon ses ordres, le fils qu'il a eu de cette dame. »

À cette révélation, la dame appelle son fils d'une voix forte : « Mon fils, dit-elle, vous avez entendu, c'est Dieu qui nous a conduits ici ! C'est votre père qui repose dans cette tombe, votre père que ce vieillard a tué injustement ! Maintenant je vous confie et vous remets son épée, que je garde depuis bien longtemps ! » Devant tous, elle lui révèle qu'il est le fils de ce chevalier, lui explique comment son amant lui rendait visite et comment il a été tué traîtreusement par son mari : elle lui raconte toute l'aventure. Puis elle tombe évanouie sur la tombe et meurt sans prononcer d'autre parole. Quand son fils la voit morte, il coupe la tête de son beau-père : avec l'épée de son père, il a ainsi vengé et son père et sa mère.

Quand les habitants de la cité apprirent cette aventure, ils vinrent solennellement prendre le corps de la dame pour la déposer dans le tombeau, près du corps de son ami : que Dieu leur soit miséricordieux ! Puis avant de quitter les lieux, ils firent d'Yonec leur seigneur.

Ceux qui entendirent raconter cette aventure, bien plus tard en tirèrent un lai, pour rappeler la peine et la douleur qu'endurèrent ces deux amants.

8. LE ROSSIGNOL

Je vais vous raconter une aventure dont les Bretons ont tiré un lai qu'ils nomment *Le Laostic*, je crois, dans leur pays, c'est-à-dire *Le Rossignol* en français et *The Nightingale* en bon anglais[1].

Dans la région de Saint-Malo, il y avait une ville réputée, où vivaient deux chevaliers, dans deux demeures fortifiées. La valeur de ces deux seigneurs contribuait beaucoup au renom de la ville. L'un avait pour femme une dame pleine de sagesse, de courtoisie et de grâce, dont la parfaite conduite répondait aux usages et aux bonnes manières. Le second, jeune et célibataire, renommé parmi ses pairs pour sa prouesse et sa valeur, menait une vie fastueuse : il participait à de nombreux tournois, dépensait sans compter et multipliait les largesses.

Il s'éprit de la femme de son voisin. Toutes ses requêtes et ses prières, mais aussi ses grands mérites finirent par lui valoir l'amour passionné de la dame : c'est qu'elle n'entendait dire de lui que du bien, et aussi qu'il habitait tout près d'elle. Ils s'aimèrent donc avec prudence, prenant soin de

---

1. En ancien breton, *aostic* désigne le rossignol.

se cacher et de n'être pas surpris ni soupçonnés :
ce qui leur était facile, car leurs demeures étaient
toutes proches, leurs maisons voisines, ainsi que
les grandes salles de leurs donjons. Nulle barrière,
nulle autre séparation qu'un grand mur de pierre
grise. De la fenêtre de sa chambre, la dame,
debout, pouvait parler à son ami, de l'autre côté,
et il lui répondait. Ils pouvaient échanger des
cadeaux qu'ils se lançaient d'une fenêtre à l'autre.
Rien ne troublait donc leur bonheur que l'impos-
sibilité de se rejoindre à leur guise ; car la dame
était surveillée de près quand son ami était dans le
pays. Mais ils se consolaient en se parlant, de nuit
et de jour : personne ne pouvait les empêcher de
venir à la fenêtre et de se voir de loin.

Ils se sont donc longtemps aimés, jusqu'à un
printemps : bois et prés avaient reverdi et les
jardins étaient fleuris. Les oiseaux chantaient doucement leur joie dans les fleurs. Quand on aime,
on ne peut alors penser qu'à l'amour[1]. Le chevalier, en vérité, s'y abandonne de tout son cœur,
tout comme la dame, de l'autre côté du mur, qui
échange avec lui paroles et regards. La nuit, au
clair de lune, quand son mari était couché, elle se
levait de son lit, prenait son manteau et venait à la
fenêtre, pour voir son ami, dont elle savait qu'il en
faisait tout autant : elle restait éveillée la plus
grande partie de la nuit. Ils goûtaient le plaisir de
se voir, puisqu'ils ne pouvaient avoir plus.

Mais la dame, à force de se lever pour venir à

---

1. Ce thème de la reverdie (le retour du printemps) est issu de la
poésie lyrique et inséparable de l'évocation de l'amour.

la fenêtre, suscita la colère de son mari, qui lui demanda à plusieurs reprises pourquoi elle se levait et où elle allait. «Seigneur, lui répond la dame, il ne connaît pas la joie en ce monde, celui qui n'entend pas le rossignol chanter : voilà pourquoi je vais à ma fenêtre. La nuit, son chant si doux me remplit d'un tel bonheur, je désire tant l'écouter que je ne peux pas fermer l'œil. » À ces mots, le mari, furieux, a un sourire moqueur : il décide de prendre le rossignol au piège. Tous les serviteurs de la maison se mettent à fabriquer pièges, filets et lacets qu'ils disposent dans le jardin. Dans tous les noisetiers, dans tous les châtaigniers ils mettent des lacets ou de la glu, si bien qu'ils ont capturé le rossignol qu'ils ont remis vivant à leur maître. Celui-ci, tout heureux de le tenir, entre dans la chambre de la dame. «Dame, dit-il, où êtes-vous donc? Venez me voir! J'ai capturé le rossignol qui vous a tant fait veiller! Désormais vous pouvez dormir tranquille, il ne vous réveillera plus! » Triste et peinée, la dame, à ces mots, demande l'oiseau à son mari, qui le tue par pure méchanceté, en lui tordant le cou : il avait bien l'âme d'un vilain! Il jette sur la dame le cadavre, qui tache de sang sa robe, sur le devant, juste à l'endroit du cœur. Puis il quitte la chambre.

Alors la dame prend le petit cadavre, pleure tendrement et maudit tous ceux qui ont trahi le rossignol en fabriquant pièges et lacets : ils l'ont privée de sa joie. «Hélas, dit-elle, je suis bien malheureuse ! Je ne pourrai plus me lever la nuit pour me tenir à la fenêtre et continuer à voir mon ami. Je sais bien qu'il va croire que je le délaisse. Il faut trouver une solution. Je vais lui envoyer le rossignol et lui faire savoir l'aventure. » Dans une étoffe de soie sur laquelle elle a brodé leur histoire en lettres d'or, elle a enveloppé l'oiseau. Elle a appelé un serviteur, lui a confié son message et l'a envoyé à son ami.

Celui-ci arrive chez le chevalier, lui transmet le salut de sa dame et lui délivre son message en lui présentant le rossignol. Il a tout raconté et le chevalier l'a bien écouté. L'aventure le remplit de chagrin. Mais il a vite fait d'agir en homme courtois. Il a fait forger un coffret, qu'il n'a pas voulu de fer ni d'acier, mais d'or fin serti des pierres les plus précieuses, avec un couvercle bien fixé : il y a placé le rossignol puis il a fait sceller cette châsse que désormais il a toujours gardée près de lui.

On raconta cette aventure qui ne put rester longtemps cachée. Les Bretons en firent un lai, que l'on appelle *Le Rossignol*.

9. MILON

Qui veut composer des contes variés doit varier le début de ses récits et veiller par son art à plaire au public. Je vais donc commencer *Milon* et vous expliquer brièvement pourquoi et comment fut composé le lai qui porte ce nom.

Milon était né dans le sud du pays de Galles. Depuis le jour de son adoubement, pas un seul chevalier n'avait réussi à le désarçonner. C'était un excellent chevalier, noble et hardi, courtois et fier. Il était fort réputé en Irlande, en Norvège, dans le Jutland[1] ; dans le pays de Logres et en Écosse, il faisait bien des envieux. Sa prouesse lui valait bien des amitiés ainsi que des marques d'honneur de la part des princes.

Dans son pays vivait un baron dont je ne sais pas le nom. Il avait pour fille une belle et courtoise demoiselle qui entendit parler de Milon et se mit à l'aimer. Par un messager, elle lui fit offrir son amour. Milon, heureux de cette nouvelle, remercia la demoiselle et lui accorda volontiers son amour, en jurant de lui rester toujours fidèle. Sa réponse est pleine de courtoisie. Il comble le messager de

---

1. Il peut s'agir du Jutland ou de l'île de Gotland dans la Baltique.

cadeaux et promet de lui manifester son amitié.
« Ami, dit-il, fais en sorte que je puisse parler à
mon amie en secret. Tu lui porteras mon anneau
d'or que tu lui offriras de ma part. Quand elle
voudra me voir, viens me chercher, et je te sui-
vrai. » Le messager prend congé, quitte Milon et
rejoint sa maîtresse. Il lui remet l'anneau en lui
disant qu'il a mené à bien sa mission. La demoiselle est tout heureuse d'avoir ainsi obtenu
l'amour de Milon. Près de sa chambre, il y avait
un jardin où souvent elle allait se promener : c'est
là que Milon, souvent, venait la rejoindre.

Ils se rencontrèrent et s'aimèrent si bien que la
demoiselle devint enceinte. Quand elle s'en aperçoit, elle appelle Milon et se lamente. Elle lui dit
ce qui est arrivé : une telle situation la prive de son
honneur et de son repos. Elle sera cruellement
châtiée, suppliciée par l'épée ou vendue comme
esclave dans un pays étranger. C'était en effet la
coutume ancienne qu'on observait alors. Milon
répond qu'il fera tout ce qu'elle décidera. « Quand
l'enfant sera né, dit-elle, vous le porterez à ma
sœur, qui est mariée et vit en Northumberland :
c'est une dame puissante, pleine de valeur et de
sagesse. Vous lui remettrez une lettre de moi et lui
expliquerez de vive voix que vous lui confiez
l'enfant de sa sœur, qui lui a valu bien des souffrances. Qu'elle veille à bien l'élever, que ce soit
une fille ou un garçon ! J'attacherai votre anneau
au cou de l'enfant et enverrai à ma sœur une lettre
avec le nom de son père et l'aventure de sa mère.
Quand il aura grandi et qu'il aura l'âge de

comprendre, elle devra lui remettre la lettre et l'anneau, en lui ordonnant de les garder jusqu'à ce qu'il ait retrouvé son père. »

Ils s'en sont tenus à cette décision jusqu'au moment de l'accouchement. Une vieille femme qui veillait sur la demoiselle et à qui elle avait révélé son secret, la cacha et la protégea si bien que personne ne découvrit la vérité ni dans ses paroles ni dans son apparence. La jeune femme accouche d'un très beau fils : à son cou on attache l'anneau ainsi qu'une aumônière de soie qui contient la lettre, bien cachée. On le couche dans un berceau enveloppé d'un drap de lin blanc, avec sous sa tête un oreiller précieux et sur lui une couverture toute bordée de martre. La vieille femme le donne à Milon, qui attendait dans le jardin. Et lui le confie à des serviteurs loyaux qui l'emportent : sept fois par jour, ils s'arrêtent dans les villes qu'ils traversent pour faire allaiter l'enfant, changer ses couches et le baigner. Ils sont allés tout droit jusqu'au château de la dame, à qui ils ont remis l'enfant. Elle l'accueille avec joie, et apprenant qui il était par le message scellé, se met à le chérir tendrement. Quant aux serviteurs qui l'avaient amené, ils retournent dans leur pays.

Milon avait quitté son pays pour louer ses services et gagner la gloire. Mais son amie est restée chez elle : son père l'a promise en mariage à un grand seigneur du pays, puissant et renommé. L'annonce de cette mésaventure la désespère : elle ne cesse de pleurer Milon car elle redoute d'être châtiée pour avoir eu un enfant : son mari le saura

tout de suite. « Hélas, dit-elle, que faire ? Prendre
un époux ? Mais comment ? Je ne suis plus vierge ;
je deviendrai servante toute ma vie ! Je ne savais
pas qu'il en irait ainsi, je pensais épouser mon ami
et cacher avec lui cette affaire sans jamais plus en
entendre parler. Mieux vaudrait mourir que vivre
ainsi ! Mais je ne suis pas libre, je suis entourée de
gardiens : mes domestiques, les jeunes comme les
vieux, qui détestent les loyaux amants et prennent
plaisir à leur malheur. Il me faudra donc endurer
mon sort, malheureuse que je suis, puisque je ne
peux pas mourir ! » Et le jour fixé pour le mariage,
son époux l'a emmenée.

Milon revient dans son pays : plein de chagrin
et de tristesse, il est tout à sa douleur. Son seul
réconfort est dans l'idée qu'il est tout près de la
contrée où vit celle qu'il a tant aimée. Il cherche
alors un moyen pour lui faire savoir secrètement
qu'il est revenu dans le pays. Il écrit sa lettre et la
scelle. Il l'attache au cou d'un cygne qu'il aimait
beaucoup et la cache dans les plumes. Puis il
appelle un écuyer et le charge de son message :
« Change vite tes vêtements et va au château de
mon amie, avec mon cygne ; et là, arrange-toi pour
que le cygne lui soit offert, par l'intermédiaire
d'un valet ou d'une servante ! » L'écuyer, obéissant, s'en va avec le cygne, le plus vite possible,
tout droit vers le château. Il traverse la ville, gagne
la porte principale du château et interpelle le portier : « Ami, écoute-moi ! je suis oiseleur de mon
état. Dans une prairie, au pied de Caerleon, j'ai
capturé un cygne au lacet. Je veux l'offrir à la

dame pour obtenir son appui et sa protection et pour éviter d'être inquiété ou accusé dans ce pays. » Le jeune homme lui répond : « Ami, personne ne peut lui parler, mais je vais tout de même m'informer. Si je peux parvenir à la voir, je te conduirai à elle et tu pourras lui parler. » Le portier entre dans la grande salle, où il ne trouve que deux chevaliers assis à une grande table et occupés à jouer aux échecs. Il retourne vite sur ses pas et entraîne le messager sans être aperçu de personne. À la chambre de la dame, il appelle et une jeune fille vient leur ouvrir la porte. Ils s'approchent alors de la dame et lui offrent le cygne. Elle appelle un de ses serviteurs et lui dit : « Veille à ce que mon cygne soit bien traité et bien nourri ! – Dame, dit le messager, vous êtes la seule à pouvoir le recevoir et c'est bien un présent royal : voyez comme il est noble et beau ! » Il le lui donne en le plaçant entre ses mains et la dame le reçoit avec plaisir, lui caressant la tête et le cou. Sous les plumes elle sent la lettre : son sang ne fait qu'un tour car elle a bien compris que le cygne venait de son ami. Elle fait remettre un don au messager puis le congédie. Quand la chambre est vide, elle appelle une servante qui l'aide à détacher la lettre. Elle brise le sceau et reconnaît en tête de la lettre le nom de son ami : « Milon », qu'elle embrasse cent fois en pleurant avant de pouvoir continuer sa lecture. Un peu plus tard, elle lit tout le contenu de la lettre, qui lui apprend toutes les souffrances que Milon endure jour et nuit. Il s'en remet maintenant entièrement à elle pour décider de sa vie ou de sa mort. Si elle pouvait trouver un stratagème pour le rencontrer, elle n'avait qu'à le lui faire savoir par une lettre en lui renvoyant le cygne. Il suffisait de prendre d'abord bien soin de l'oiseau puis de le laisser jeûner trois jours sans la moindre nourriture, avant de lui attacher la lettre au cou et de le laisser partir : il s'envolerait jusqu'à sa première demeure. Quand la dame a terminé la lecture de la lettre et bien compris les directives, elle laisse le cygne se reposer, lui fait donner à manger et à boire en abondance. Elle le garde un mois dans sa chambre.

Mais écoutez maintenant la suite de l'histoire ! À force d'habileté et de ruse, la dame se procure encre et parchemin : elle écrit le message qu'elle souhaite transmettre à Milon et le scelle de son anneau. Elle laisse jeûner le cygne, lui attache la lettre au cou et le laisse partir. L'oiseau, affamé et avide de nourriture, revient en toute hâte à son point de départ, dans la ville puis dans la maison, où il s'abat aux pieds de Milon. Celui-ci, tout heureux de le voir, le prend joyeusement par les ailes, appelle son intendant et lui ordonne de nourrir l'oiseau. Il lui détache la lettre du cou, la parcourt de bout en bout, examine les signes de reconnaissance qu'elle contient et se réjouit des salutations que la dame lui envoie : elle lui dit qu'elle ne peut sans lui connaître le bonheur ; qu'il lui fasse donc savoir ses intentions de la même manière, par l'intermédiaire du cygne ! C'est ce que Milon va s'empresser de faire.

Vingt ans durant, Milon et son amie ont mené cette vie, faisant du cygne leur messager, car ils n'avaient pas d'autre intermédiaire. Ils le faisaient jeûner avant de le laisser s'envoler ; et celui que l'oiseau rejoignait, sachez-le, se chargeait de le nourrir. Ils se sont rencontrés plusieurs fois car même le prisonnier le plus étroitement surveillé trouve souvent une occasion favorable.

La dame qui élevait leur fils l'a fait armer chevalier ; car le temps avait si bien passé qu'il en avait maintenant l'âge. C'était le plus noble des jeunes gens. Elle lui a remis la lettre et l'anneau puis lui a révélé le nom de sa mère et l'aventure de son père : comme il est bon chevalier, si vaillant, si hardi et si fier que nul dans le pays ne peut le surpasser en réputation et en valeur. Le jeune homme a bien écouté les révélations de la dame et, tout heureux de ce qu'il vient d'entendre, se réjouit de la bravoure de son père. Il se dit qu'un homme engendré par un père si renommé serait bien méprisable de ne pas rechercher plus de gloire encore loin de sa terre et de son pays. Ayant largement tout ce qu'il lui faut, il ne reste au château que le soir et dès le lendemain prend congé de la dame qui, avec bien des recommandations et des encouragements, lui donne beaucoup d'argent. Il va traverser la mer à Southampton, s'embarque le plus tôt possible et débarque à Barfleur puis se dirige droit vers la Bretagne. Là il multiplie les largesses, participe aux tournois et se lie avec de puissants seigneurs. Il ne pouvait figurer dans une joute sans être tenu pour le meilleur. Compatissant pour les chevaliers pauvres, il leur donnait ce qu'il gagnait sur les riches et les gardait auprès de lui, dépensant son bien à profusion. Il ne se reposait que malgré lui. De ce côté de la mer, il était reconnu comme le plus vaillant ; il était courtois et menait une vie pleine d'honneur.

Sa valeur et sa renommée se répandent jusque dans son pays : on racontait qu'un jeune chevalier du pays avait traversé la mer pour conquérir la gloire et qu'il avait si bien prouvé sa bravoure, sa valeur et sa générosité que ceux qui ne connaissaient pas son nom l'appelaient partout « le chevalier sans pair ». Milon, entendant ces louanges et le récit des mérites du chevalier, en souffrait et se plaignait : ce chevalier était si valeureux qu'aussi longtemps qu'il pourrait voyager, participer aux tournois et porter les armes, aucun autre chevalier du pays n'aurait plus ni estime ni réputation. Il prend alors une décision : il va vite traverser la mer et affronter le chevalier pour lui faire honte et dommage. Il veut le combattre furieusement et, s'il le peut, le renverser de son cheval afin de le couvrir d'opprobre. Puis il s'en ira à la recherche de son fils, qui a quitté le pays et dont il ignore le sort. Il communique son projet à son amie et lui demande son congé, en lui révélant ses intentions par une lettre scellée envoyée, je pense, par l'intermédiaire du cygne. Il lui demande en retour de lui faire savoir sa volonté. La dame, apprenant ce projet, le remercie et lui est reconnaissante de vouloir quitter le pays pour rechercher leur fils et prouver sa propre valeur : ce n'est pas elle qui le détournera de cette entreprise.

Muni de cette réponse, Milon, en riche équipage, traverse la mer jusqu'en Normandie puis atteint la Bretagne. Il se lie à de nombreux chevaliers, participe à bien des tournois. Il prodigue une hospitalité fastueuse et distribue les dons avec courtoisie. Tout un hiver, je crois, Milon a séjourné dans le pays, gardant auprès de lui un grand nombre de bons chevaliers jusqu'au retour de Pâques, quand recommencent les tournois, les guerres et les affrontements.

À une assemblée au Mont-Saint-Michel se rendent Normands et Bretons, Flamands et Français ; mais il n'y avait guère d'Anglais. Milon s'y rend le premier, car il était hardi et fier. Il demande le bon chevalier et plus d'un lui montre de quel côté il est allé, lui désigne ses armes et ses boucliers. Tous l'ont montré à Milon, qui l'examine attentivement. Les chevaliers se rassemblent pour le tournoi : qui cherche la joute, a tôt fait de la trouver ; qui veut parcourir les pistes, peut aussi vite perdre que gagner en rencontrant un adversaire. De Milon je vous dirai seulement qu'il s'est fort bien comporté dans cet assaut et qu'il a reçu ce jour-là bien des compliments. Mais le jeune homme dont je vous parle l'a emporté sur tous les autres et nul ne peut se comparer à lui en matière de tournoi et de joute. En le voyant ainsi se comporter, s'élancer, frapper avec tant d'adresse, Milon, tout en l'enviant, ne pouvait s'empêcher de le regarder avec plaisir. Il se présente au bout de la piste pour le rencontrer et tous deux engagent le combat. Milon le frappe si violemment qu'il met en pièces la hampe de sa lance, sans toutefois réussir à le désarçonner. Mais l'autre, de son côté, l'a frappé si fort qu'il l'a renversé de son cheval. Sous le ventail du casque, il aperçoit la barbe et les cheveux blancs et regrette d'avoir fait tomber son adversaire. Il prend le cheval par les rênes et le lui présente : « Seigneur, dit-il, montez à cheval ! Je suis bien désolé d'avoir dû infliger cette honte à un homme de votre âge ! » Milon saute à cheval avec joie : au doigt du jeune homme, quand celui-ci lui a rendu son cheval, il a reconnu l'anneau. Il se met à l'interroger. « Ami, dit-il, écoute-moi ! Pour l'amour de Dieu tout-puissant, dis-moi le nom de ton père ! Quel est ton nom ? qui est ta mère ? Je veux savoir la vérité. J'ai beaucoup vu, beaucoup voyagé, j'ai parcouru bien des terres étrangères pour des tournois ou des guerres : jamais un chevalier n'avait pu me faire tomber de mon cheval. Tu m'as mis à terre dans cette joute : tu mérites toute mon amitié ! » Le jeune homme répond : « Je vous dirai de mon père tout ce que j'en sais. Je crois qu'il est du pays de Galles et se nomme Milon. Il s'est épris de la fille d'un puissant seigneur et m'a engendré en secret. Envoyé en Northumberland, j'ai été élevé et instruit par une de mes tantes, qui m'a gardé auprès d'elle, puis m'a donné un cheval et des armes et m'a envoyé dans ce pays. J'y vis depuis longtemps. Mais j'ai l'intention de traverser bientôt la mer et de retourner chez moi. Je veux tout savoir sur mon père, et comment il se conduit envers ma mère. Je lui montrerai un anneau d'or et lui donnerai des preuves telles qu'il ne pourra pas me renier : il aura pour moi tendresse et amour ! »

À ces mots, Milon ne peut plus en entendre davantage ; il bondit en avant et le saisit par le pan de son haubert : « Dieu, dit-il, quelle joie ! Par ma foi, mon ami, tu es mon fils ! C'est pour me mettre à ta recherche que j'ai quitté ma terre ! » L'entendant, le jeune homme met pied à terre et embrasse tendrement son père. Leur attitude et leurs paroles sont si touchantes que les assistants pleurent de joie et d'attendrissement. À la fin du tournoi, Milon s'en va : il a hâte de pouvoir parler tranquillement à son fils et de lui ouvrir son cœur. Ils ont partagé cette nuit-là le même logis, dans la joie et l'allégresse, entourés de nombreux chevaliers. Milon a raconté comment il s'est épris de la mère du jeune homme, comment le père de la jeune femme l'a donnée en mariage à un seigneur de son pays, comment ils ont ensuite continué de s'aimer loyalement, en utilisant le cygne comme messager pour transporter les lettres, car il n'osait se fier à personne. Le fils répond : « Par ma foi, mon père, je vous réunirai, vous et ma mère. Je tuerai son mari et je vous la ferai épouser ! »

Laissant là ce propos, ils font leurs préparatifs dès le lendemain, prennent congé de leurs amis et regagnent leur pays. La traversée de la mer est rapide car le temps est beau et le vent souffle fort. Sur leur chemin, voilà qu'ils rencontrent un serviteur, envoyé par l'amie de Milon : il voulait aller en Bretagne, sur l'ordre de sa maîtresse. Sa peine est donc abrégée ! Il remet à Milon une lettre scellée et, de vive voix, lui dit de venir sans tarder : le mari de la dame est mort ; qu'il se hâte donc ! La nouvelle comble Milon de joie. Il la transmet à son fils. Sans délai ni répit, ils continuent leur chemin jusqu'au château de la dame : elle est tout heureuse de voir son fils, si vaillant et si noble.

Sans appeler leurs parents, sans demander conseil à quiconque, ils furent tous deux unis par leur fils, qui donna en mariage sa mère à son père. Puis ils passèrent leurs jours et leurs nuits dans le bonheur et la tendresse.

De leur amour et de leur bonheur, les anciens ont fait un lai ; et moi, qui l'ai mis par écrit, j'ai grand plaisir à le raconter.

10. LE MALHEUREUX

L'envie m'a prise de rappeler un lai que j'ai entendu raconter. Je vais vous dire l'aventure et la cité qui lui ont donné naissance, et son nom : on l'appelle *Le Malheureux* mais beaucoup le nomment aussi *Les Quatre Deuils*.

En Bretagne, à Nantes, vivait une dame pleine de beauté, de sagesse et de grâce. Dans le pays, tous les chevaliers de quelque valeur ne pouvaient la voir une fois sans s'éprendre d'elle et solliciter son amour. Elle ne pouvait pas tous les aimer ; mais elle ne voulait pas non plus leur mort. Il vaudrait mieux solliciter l'amour de toutes les dames d'un pays que d'arracher à un fou son morceau de pain ; car celui-ci veut aussitôt vous frapper[1]. Si la dame exauce les vœux de tous, tous lui en seront reconnaissants ! Quoi qu'il en soit, même si elle ne veut pas les écouter, elle ne doit

---

1. Le sens de ces quelques vers n'est pas clair. Il semble que Marie ironise sur le fait qu'on ne risque rien à courtiser toutes les femmes du pays (qui sont compatissantes), alors qu'un fou ne se laisse pas sans violence prendre son morceau de pain. Le fou tenant une miche de pain est en effet une image courante dans les psautiers du Moyen Âge, pour illustrer le psaume 53 (52), en particulier le cinquième verset : « Le savent-ils, les malfaisants ? Ils mangent mon peuple, voilà le pain qu'ils mangent. »

pas les repousser durement mais les estimer et les honorer, s'empresser auprès d'eux et les remercier. La dame dont je vous parle, à qui sa beauté et sa valeur valaient tant de déclarations d'amour, passait ses nuits et ses jours à cette occupation.

En Bretagne il y avait quatre barons dont je ne connais pas les noms. C'étaient de jeunes chevaliers, mais déjà pleins de beauté et de vaillance, de générosité et de courtoisie. Ils faisaient partie de la noblesse du pays, où leur renommée était grande. Tous les quatre aimaient la dame et s'appliquaient à se mettre en valeur pour conquérir son amour et sa personne. Chacun faisait de son mieux. Chacun la sollicitait avec toute son ardeur et s'imaginait mieux réussir que les autres. Mais la dame, avec sagesse, se laissait le temps de la réflexion pour chercher à savoir lequel il vaudrait mieux aimer. Ils étaient tous quatre de si grande valeur qu'elle ne parvenait pas à trouver le meilleur. Elle refusait d'en perdre trois pour l'amour d'un seul et faisait donc bon visage à chacun, distribuant des gages d'amour, envoyant des messages.

Ils savaient ce qu'il en était à propos des autres mais aucun n'avait le courage de rompre. Chacun s'imaginait mieux réussir que les autres en la servant et en la priant. Aux tournois, chacun voulait être le premier et plaire à la dame par ses exploits, s'il le pouvait. Tous les quatre la tenaient pour amie, arboraient le gage d'amour qu'elle leur avait donné, anneau, manche ou banderole, et prenaient son nom comme cri de ralliement.

C'est ainsi qu'elle conserva l'amour de ses quatre chevaliers jusqu'à une année où, après Pâques, on annonça un tournoi devant la cité de Nantes. Pour rencontrer les quatre amants, on a vu venir des chevaliers d'autres régions : Français, Normands, Flamands, Brabançons, Boulonnais, Angevins, ainsi que les proches voisins : tous sont venus avec plaisir car ils attendaient depuis longtemps. La veille du tournoi, pendant les engagements préliminaires, les coups pleuvent dru. Les quatre amants, en armes, sortent de la cité, suivis de leurs chevaliers ; mais ils portent à eux quatre tout le poids du combat. Les chevaliers du camp de dehors les ont reconnus à leurs bannières et à leurs boucliers[1]. Ils envoient contre eux quatre chevaliers, deux Flamands et deux Hennuyers, qui se préparent à charger avec ardeur. Les quatre amants les voient venir vers eux, ils n'ont pas envie de fuir. Lance baissée, éperonnant sa monture, chacun repère son adversaire. Le choc est d'une telle violence que les quatre chevaliers du dehors tombent de cheval. Mais les vainqueurs ne se soucient pas des chevaux, qu'ils abandonnent pour rester auprès des maîtres, dont les chevaliers viennent à la rescousse. Dans la mêlée, les coups d'épée se mettent à pleuvoir. La dame, en haut d'une tour, voit bien ceux de son camp et leurs adversaires. Elle assiste aux exploits de ses amants et ne sait qui estimer davantage. Alors le tournoi commence, les rangs

---

1. Aux XIIe et XIIIe siècles, le tournoi est un sport d'équipe qui oppose deux camps : voir G. Duby, *Le Dimanche de Bouvines*, Paris, Gallimard, 1973.

des chevaliers s'allongent, la foule épaissit. Devant la porte, ce jour-là, les combats se multiplient. Les exploits des quatre amants leur valent d'être reconnus pour les meilleurs.

Mais à la tombée du jour, alors qu'on allait se séparer, ils s'exposent au danger, loin des leurs, avec trop d'imprudence, et le paient bien cher : trois d'entre eux trouvent la mort et le quatrième est grièvement blessé à la cuisse et au corps : la lance le transperce. Ils sont atteints au cours d'une attaque par le flanc et tous quatre désarçonnés. Les responsables, bien involontaires, de leur mort jettent leurs boucliers sur le terrain, en signe de deuil : de telles clameurs s'élèvent alors qu'on n'avait jamais entendu manifester pareille douleur. Les chevaliers de la cité sortent sans crainte des combattants de l'autre camp ; dans la douleur qu'ils éprouvent de ces morts, ils sont deux mille à délacer leur casque, à s'arracher barbe et cheveux. Le deuil est le même dans les deux camps. On transporte chacun des morts dans la cité, sur un bouclier, jusqu'à la dame qui les avait aimés.

Dès qu'elle apprend la triste aventure, elle tombe évanouie à terre et quand elle revient à elle, prononce la plainte funèbre de chacun d'eux en l'appelant par son nom : « Hélas, que vais-je devenir ? C'en est fait pour moi du bonheur ! J'aimais ces quatre chevaliers et désirais l'amour de chacun d'entre eux ; ils avaient tant de valeur que je voulais conserver l'attachement de chacun d'eux. Ils m'aimaient plus que tout. Et devant leur beauté, leur prouesse, leur valeur et leur généro-

sité, je les ai poussés à m'aimer : je ne voulais pas
les perdre tous pour l'amour d'un seul ! Je ne sais
maintenant lequel regretter le plus. Mais à quoi
bon dissimuler ? J'en vois un blessé quand les
trois autres sont morts. Ma perte est irréparable !
Je vais donner une sépulture aux morts et prendre
soin du blessé, s'il peut guérir, en le confiant à de
bons médecins ! » Elle fait transporter chez elle le
survivant puis veille à la toilette funèbre des
autres : elle leur prodigue les soins que lui dictent
l'amour et la générosité. Elle fait de grandes
offrandes et de grandes donations à une riche
abbaye dans laquelle ils sont ensevelis : que Dieu
leur soit miséricordieux ! La dame convoque alors
d'habiles médecins pour leur confier le chevalier
blessé qui repose dans sa chambre et guérit peu à
peu. Elle lui rendait souvent visite pour le récon-
forter avec bonté ; mais elle regrettait les trois
autres et souffrait toujours de leur mort.

Un jour d'été, après le repas, la dame et le chevalier étaient ensemble : la dame, toute à sa
grande douleur, gardait la tête et les yeux baissés,
perdue dans ses pensées. Le chevalier la
contemple et, la voyant songeuse, lui demande
doucement : « Dame, vous êtes toute troublée ! À
quoi pensez-vous ? dites-le-moi ! Laissez là votre
chagrin et remettez-vous ! – Ami, dit-elle, je
rêvais et je pensais à vos compagnons. Jamais
dame de ma naissance, si belle, si noble et si sage
soit-elle, n'aimera à la fois quatre chevaliers tels
que vous pour les perdre le même jour, hormis
vous, bien sûr, qui avez été blessé et avez bien

failli mourir ! Je vous ai tant aimés que je veux que l'on garde le souvenir de mon deuil. Je vais faire composer un lai sur vous quatre et je l'appellerai *Les Quatre Deuils*. »

À ces mots, le chevalier lui répond aussitôt : « Dame, faites composer ce nouveau lai, mais appelez-le *Le Malheureux* ! Et je vais vous donner la raison de ce titre. Les trois autres sont morts maintenant et durant toute leur vie, ils ont épuisé la grande peine qu'ils enduraient pour l'amour de vous. Mais moi j'ai survécu et me voici pourtant éperdu et malheureux car je vois aller et venir celle que j'aime plus que tout au monde, je lui parle matin et soir, mais je ne peux pas avoir la joie de l'embrasser et de la prendre dans mes bras, le seul plaisir qui me reste est celui de sa conversation[1]. Vous me faites ainsi tellement souffrir que je préférerais mourir. Voilà pourquoi il faut donner au lai mon nom et l'appeler *Le Malheureux*. Ce serait le priver de son vrai nom que le nommer *Les Quatre Deuils*. – Ma foi, dit-elle, je le veux bien. Appelons-le donc *Le Malheureux* ! »

Le lai fut donc commencé puis, une fois achevé, partout répandu. Certains de ceux qui le récitent l'appellent *Les Quatre Deuils*. Les deux titres conviennent bien à cette histoire. Mais son nom habituel est *Le Malheureux*. C'est ainsi qu'il se termine, sans rien de plus : je n'ai rien entendu de plus, je ne sais rien de plus et je ne vous raconterai rien de plus.

---

1. Cette blessure à la cuisse, qui frappe d'impuissance le héros, est la même que celle de Guigemar.

11. LE CHÈVREFEUILLE

J'ai bien envie de vous raconter la véritable histoire du lai qu'on appelle *Le Chèvrefeuille* et de vous dire comment il fut composé et quelle fut son origine.

On m'a souvent relaté l'histoire de Tristan et de la reine, et je l'ai aussi trouvée dans un livre, l'histoire de leur amour si parfait, qui leur valut tant de souffrances puis les fit mourir le même jour[1]. Le roi Marc, furieux contre son neveu Tristan, l'avait chassé de la cour à cause de son amour pour la reine. Tristan a regagné son pays natal, le sud du pays de Galles, pour y demeurer une année entière sans pouvoir revenir. Il s'est pourtant ensuite exposé sans hésiter au tourment et à la mort. N'en soyez pas surpris : l'amant loyal est triste et affligé, loin de l'objet de son désir. Tristan, désespéré, a donc quitté son pays pour aller tout droit en Cornouailles, là où vit la reine. Il se réfugie, seul, dans la forêt, pour ne pas être vu. Il en sort le soir pour chercher un abri et se fait héberger la nuit chez des paysans, de pauvres gens. Il leur

---

1. Sur les romans médiévaux de Tristan, voir *Tristan et Iseut*, Le Livre de Poche, Lettres gothiques, 1989.

demande des nouvelles du roi et ils répondent que les barons, dit-on, sont convoqués à Tintagel. Ils y seront tous pour la Pentecôte car le roi veut y célébrer une fête : il y aura de grandes réjouissances et la reine accompagnera le roi. Cette nouvelle remplit Tristan de joie : elle ne pourra pas se rendre à Tintagel sans qu'il la voie passer !

Le jour du départ du roi, il revient dans la forêt, sur le chemin que le cortège doit emprunter, il le sait. Il coupe par le milieu une baguette de noisetier qu'il taille pour l'équarrir. Sur le bâton ainsi préparé, il grave son nom avec son couteau. La reine est très attentive à ce genre de signal : si elle aperçoit le bâton, elle y reconnaîtra bien aussitôt un message de son ami. Elle l'a déjà reconnu, un jour, de cette manière. Ce que disait le message écrit par Tristan, c'était qu'il attendait depuis longtemps dans la forêt à épier et à guetter le moyen de la voir car il ne pouvait pas vivre sans elle. Ils étaient tous deux comme le chèvrefeuille qui s'enroule autour du noisetier : quand il s'y est enlacé et qu'il entoure la tige, ils peuvent ainsi continuer à vivre longtemps. Mais si l'on veut ensuite les séparer, le noisetier a tôt fait de mourir, tout comme le chèvrefeuille : « Belle amie, ainsi en va-t-il de nous : ni vous sans moi, ni moi sans vous ! »

La reine s'avance à cheval, regardant devant elle. Elle aperçoit le bâton et en reconnaît toutes les lettres. Elle donne l'ordre de s'arrêter aux chevaliers de son escorte, qui font route avec elle : elle veut descendre de cheval et se reposer. On lui obéit et elle s'éloigne de sa suite, appelant près d'elle Brangien, sa loyale suivante. S'écartant un peu du chemin, elle découvre dans la forêt l'être qu'elle aime le plus au monde. Ils ont enfin la joie de se retrouver ! Il peut lui parler à son aise et elle, lui dire tout ce qu'elle veut. Puis elle lui explique comment se réconcilier avec le roi : elle a bien souffert de le voir ainsi congédié, mais c'est qu'on l'avait accusé auprès du roi. Puis il lui faut partir, laisser son ami : au moment de se séparer, ils se mettent à pleurer. Tristan regagne le pays de Galles en attendant d'être rappelé par son oncle.

Pour la joie qu'il avait eue de retrouver son amie, et pour préserver le souvenir du message qu'il avait écrit et des paroles échangées, Tristan, qui était bon joueur de harpe, composa, à la demande de la reine, un nouveau lai. D'un seul mot je vous le nommerai : les Anglais l'appellent *Goatleaf* et les Français *Chèvrefeuille*. Vous venez d'entendre la véritable histoire du lai que je vous ai raconté.

12. ELIDUC

Je vais vous faire le récit d'un très ancien lai breton et je vous en dirai l'histoire et toute la vérité, comme je crois la savoir.

En Bretagne vivait un chevalier brave et courtois, hardi et fier. Il se nommait Eliduc, je crois, et dans tout le pays il n'y avait pas de chevalier de sa valeur. Il avait pour épouse une femme noble et sage, de très haut lignage. Ils vécurent ensemble longtemps, s'aimant d'un amour réciproque et loyal. Mais un jour, au cours d'une guerre, Eliduc partit louer ses services. Là, il s'éprit d'une jeune fille, fille de roi et de reine : elle avait nom Guilliadon et il n'en était pas de plus belle dans tout le royaume. Quant à l'épouse, on l'appelait Guildeluec dans sa contrée. Le lai tire son nom de celui de ces deux femmes : *Guildeluec et Guilliadon*. On l'a d'abord nommé *Eliduc*, mais son nom a maintenant changé, car les dames sont bien les héroïnes de l'aventure qui a donné naissance au lai. Je vais vous raconter la vérité sur cette histoire.

Eliduc avait pour seigneur le roi de Petite Bretagne, qui l'aimait et l'estimait : Eliduc, quant à lui, le servait loyalement. Quand le roi devait

voyager, Eliduc avait la charge du royaume. Le roi
le gardait près de lui pour sa valeur, ce qui lui
donnait de grands avantages : il pouvait chasser
dans les forêts, sans qu'un forestier fût assez hardi
pour oser l'en empêcher ni même protester. Mais
l'envie que suscitait son bonheur lui valut, comme
cela arrive souvent à d'autres, d'être calomnié et
accusé auprès de son seigneur, qui le chassa de sa
cour sans explications. Eliduc ne savait pourquoi :
plusieurs fois il supplia le roi de le laisser se
défendre et de ne pas croire les calomnies contre
un homme qui l'avait servi de bon cœur ; mais le
roi refusa de lui répondre.

Le roi ne voulant rien entendre, Eliduc n'avait
plus qu'à partir. Il retourne donc dans sa maison,
où il convoque tous ses amis. Il leur expose le
ressentiment que lui voue le roi son seigneur. Il l'a
pourtant servi de son mieux, le roi ne devrait pas
si mal le récompenser. Le vilain dit bien dans son
proverbe, quand il gronde son valet, qu'« amour
de seigneur n'est pas fief[1] ». Il est cependant sage
et avisé, celui qui se conduit loyalement envers
son seigneur, et amicalement envers ses bons
voisins. Eliduc ne veut plus rester dans le pays : il
traversera la mer pour séjourner quelque temps
dans le royaume de Logres. Il laissera sa femme
sur sa terre et recommande à ses vassaux ainsi
qu'à ses amis de veiller sur elle loyalement. Sa

---

1. Le proverbe « Amour de seigneur n'est pas fief » est bien attesté.
Il oppose l'amour du seigneur, peu sûr, au fief qui, une fois donné, ne
peut être repris. *Les Proverbes au vilain* sont une collection de proverbes
très souvent mentionnée.

décision prise, il s'équipe richement. Ses amis sont désolés de le voir ainsi les quitter. Il emmène avec lui dix chevaliers. Sa femme l'accompagne à son départ, manifestant sa douleur devant cette séparation; mais Eliduc lui prête le serment de lui garder sa foi. Puis il la quitte. Il va droit devant lui, jusqu'à la mer, qu'il traverse : il débarque à Totness.

Dans cette terre il y avait plusieurs rois, qui se faisaient la guerre. Dans le pays, près d'Exeter, vivait un seigneur très puissant : il était très âgé, sans héritier mâle, et avait une fille à marier. Comme il refusait de la donner à l'un de ses pairs, celui-ci lui faisait la guerre et ravageait toute sa terre. Il l'assiégeait dans l'un de ses châteaux, et nul, dans le château, n'avait l'audace de sortir se mesurer à lui dans un combat singulier ou une bataille. Eliduc apprend cette nouvelle et décide de ne pas aller plus loin, puisqu'il a ici trouvé une guerre : il veut rester dans ce pays. Il décide d'aider de tout son pouvoir le roi qui est dans la situation la plus difficile et la plus tragique et de se mettre à son service. Il lui envoie donc des messagers et lui fait savoir par lettre qu'il a quitté son pays pour venir à son aide : qu'il lui fasse connaître en retour sa volonté; et s'il ne veut pas le garder à son service, qu'il lui donne une escorte pour traverser ses terres et aller plus loin proposer ses services.

En voyant les messagers, le roi les accueille avec honneur et amitié. Il appelle son connétable et lui ordonne de réunir en toute hâte une escorte

et de lui amener le chevalier. Qu'il fasse préparer
des logements où les étrangers puissent s'ins-
taller ; et qu'il leur fasse remettre tout ce qu'ils
souhaiteront pour leurs dépenses du mois. On
réunit donc l'escorte, et on l'envoie à Eliduc, qui
est reçu avec honneur : le roi apprécie fort sa
venue. On l'a logé chez un bourgeois plein de
sagesse et de courtoisie : son hôte lui a laissé sa
belle chambre garnie de tentures. Eliduc se fait
richement servir. Il invite à son repas les chevaliers pauvres qui logent dans la ville. À tous ses
hommes il fait cette interdiction : que nul d'entre
eux n'ait l'audace de recevoir la moindre rémuné-
ration en nature ou en argent pendant les quarante
premiers jours !

Il n'était là que depuis deux jours quand on
proclame dans la cité que les ennemis sont là et
qu'ils se répandent dans la campagne : ils vont
bientôt attaquer la ville et venir jusqu'aux portes.
Eliduc entend le tumulte du peuple épouvanté. Il
s'arme sans attendre, ainsi que ses compagnons. Il
y avait dans la ville quatorze chevaliers pourvus
d'un cheval et valides, car nombreux étaient les
blessés et les prisonniers. Voyant Eliduc monter à
cheval, ils vont s'armer dans leurs logis et sortent
avec lui par la porte de la ville, sans attendre
l'ordre du roi. « Seigneur, disent-ils, nous
viendrons avec vous et ferons ce que vous ferez !
– Grand merci, leur répond-il. L'un de vous
connaîtrait-il un passage ou un défilé par où nous
pourrions les surprendre ? Si nous les attendons
ici, nous pourrons bien combattre, mais sans

résultat. Quelqu'un aurait-il une autre idée ? – Seigneur, disent-ils, sur notre foi, il y a près de ce bois, dans ce taillis, un chemin étroit par où ils reviennent sur leurs pas. Quand ils auront pris leur butin, ils reviendront par là : ils y passent bien souvent, sans leurs armes, sur des palefrois. Si l'on acceptait le risque de se mettre en danger de mort, on pourrait bien vite leur causer honte et dommage. – Mes amis, répond Eliduc, je vous en fais le serment : qui ne se risque pas souvent là où il se croit sûr de perdre, ne gagnera jamais grand profit ni grande renommée. Vous êtes tous les vassaux du roi et lui devez fidélité. Suivez-moi là où j'irai et faites ce que je ferai ! Je vous donne loyalement ma parole que vous ne subirez aucun dommage tant que je pourrai l'éviter. Si nous pouvons remporter un succès, nous aurons la gloire d'avoir causé des pertes à nos ennemis ! »

Les chevaliers acceptent son engagement et le mènent jusqu'au bois. Ils se postent en embuscade près du chemin, jusqu'au retour des ennemis. Eliduc leur a bien montré et expliqué comment les charger en criant leur défi. Dès que les autres entrent dans le défilé, Eliduc crie son défi. Il appelle tous ses compagnons et les exhorte à bien se battre. Tous frappent de grands coups sans épargner personne. Leurs adversaires, épouvantés, rompent aussitôt les rangs et se dispersent : ils sont bientôt vaincus. Les vainqueurs ont fait prisonniers le connétable et bien d'autres chevaliers qu'ils confient à leurs écuyers : alors qu'ils n'étaient que vingt-cinq, ils ont capturé trente chevaliers de l'autre camp. Ils s'emparent d'une grosse quantité de matériel : ils ont fait un joli butin. Puis ils reviennent, tout joyeux de leur beau succès.

Le roi, monté sur une tour, avait très peur pour ses hommes et se plaignait amèrement d'Eliduc, s'imaginant qu'il avait trahi ses chevaliers et les avait livrés à l'ennemi. Mais les voici venir tous ensemble et lourdement chargés. Il y avait beaucoup plus de chevaliers au retour qu'au départ : le roi ne les reconnaît donc pas et, dans sa crainte et sa défiance, fait fermer les portes et ordonne à ses hommes de monter sur les remparts pour leur lancer des traits. Mais ils n'auront pas à aller jusque-là. Les vainqueurs ont envoyé en avant un écuyer qui arrive en éperonnant son cheval, leur raconte l'aventure, la conduite du nouveau chevalier et sa victoire sur les ennemis. On n'a jamais vu pareil chevalier ! Il a capturé le connétable et vingt-neuf autres combattants, sans compter ceux qu'il a blessés ou tués. Le roi se réjouit fort de cette nouvelle : il descend de la tour à la rencontre d'Eliduc et le remercie de cette action d'éclat. Eliduc lui remet les prisonniers et répartit les équipements entre les autres, ne gardant pour lui que trois chevaux qui lui avaient été attribués. Pour le reste de sa part, il l'a partagé et distribué aux prisonniers et aux autres combattants.

Après l'exploit que je vous ai raconté, le roi s'est pris pour lui d'estime et d'affection. Il l'a gardé près de lui un an entier, ainsi que ses compagnons, en lui faisant prêter serment de fidélité. Il a fait de lui le gardien de son royaume. Eliduc, courtois et sage, était un beau chevalier vaillant et généreux. La fille du roi a entendu parler de lui et raconter ses exploits. Elle envoie un de ses chambellans le prier de venir lui parler et la distraire : ils feront ainsi connaissance. Elle s'étonnait fort de ne pas recevoir sa visite. Eliduc répond qu'il se rendra auprès d'elle et fera volontiers sa connaissance. Monté sur son destrier et accompagné d'un chevalier, il rend visite à la jeune fille. Avant d'entrer dans sa chambre, il envoie le chambellan en avant et reste en arrière jusqu'au retour de ce dernier. Avec douceur et noblesse, le visage ouvert, il prend alors la parole et remercie courtoisement la demoiselle Guilliadon, qui est très belle, d'avoir bien voulu le convier à venir lui parler. Celle-ci l'a pris par la main et tous deux se sont assis sur un lit. Ils ont longuement parlé. Guilliadon contemple son visage, sa personne, son attitude : elle se dit que rien en lui ne peut déplaire et se met à l'estimer fort. Amour lance alors son message, lui ordonnant d'aimer, la faisant pâlir et soupirer. Mais elle ne veut pas parler à Eliduc, de peur de s'attirer son mépris. Le chevalier, après une longue visite, prend donc congé et la quitte. Elle lui donne son congé à contrecœur mais ne peut l'empêcher de partir.

De retour à son logis, il est pensif et sombre, bouleversé par la beauté de la fille du roi son seigneur, par ses douces paroles et ses soupirs. Il se trouve bien malheureux de ne pas l'avoir vue plus souvent, alors qu'il est depuis si longtemps dans le pays. Mais aussitôt il se repent de cette pensée en se rappelant sa femme et le serment qu'il lui a prêté de lui garder sa foi et sa loyauté.

La jeune fille, après l'avoir vu, décide de faire de lui son ami. Jamais nul homme ne lui a inspiré tant d'estime : si elle en est capable, elle le gardera auprès d'elle. Elle veille ainsi toute la nuit sans repos ni sommeil. Le lendemain, levée de bon matin, elle va à une fenêtre, appelle son chambellan et lui révèle son secret. « Par ma foi, dit-elle, je suis bien malheureuse ! Me voici dans une terrible situation ! J'aime le nouveau chevalier, Eliduc, le vaillant guerrier. Cette nuit je n'ai pu trouver le repos ni fermer l'œil. S'il veut bien me donner son amour et me prêter serment de fidélité, je ferai tout ce qu'il souhaitera : il peut en tirer grand profit et devenir roi de ce pays. Il est si sage et si courtois que s'il me refuse son amour, je n'ai plus qu'à mourir de douleur ! » Quand elle a ainsi soulagé son cœur, le chambellan qu'elle a appelé lui donne un conseil loyal que nul ne pourrait lui reprocher. « Dame, dit-il, puisque vous l'aimez, envoyez-lui un message ! Envoyez-lui ceinture, lacet ou anneau, comme il vous plaira. S'il reçoit votre cadeau de bonne grâce et se montre heureux du message, vous pouvez être sûre de son amour ! Le plus grand empereur du monde devrait être joyeux de recevoir votre amour ! » La demoiselle répond à ce conseil : « Comment mon cadeau peut-il me faire savoir s'il veut m'aimer ? Je n'ai jamais vu un chevalier se faire prier pour accepter un cadeau qu'on lui envoie, qu'il soit amoureux ou non ! Je ne supporterais pas qu'il se moque de moi. Mais il est vrai qu'à leur réaction on peut connaître les sentiments des gens. Préparez-vous et allez le voir ! – Je suis tout prêt. – Vous allez lui porter un anneau d'or et lui donner ma ceinture. Vous le saluerez mille fois de ma part ! »

Le chambellan s'en est allé et Guilliadon reste seule : elle est prête à le rappeler mais le laisse finalement partir. Elle se met alors à gémir : « Hélas, voici mon cœur subjugué par un étranger ! Je ne sais pas s'il est de haut lignage, il s'en ira bientôt et moi, je resterai à me désoler. Je suis folle d'avoir pensé à lui ! Je lui ai parlé hier pour la première fois et maintenant je lui offre mon amour ! Je suis sûre qu'il va m'en blâmer. Mais s'il est courtois, il m'en saura gré. Le sort en est jeté ! S'il ne veut pas de mon amour, je serai la plus infortunée des femmes et ne connaîtrai plus jamais le bonheur ! »

Pendant qu'elle se lamente, le chambellan se hâte d'arriver chez Eliduc. En secret, il lui transmet les salutations de la jeune fille et lui offre l'anneau et la ceinture. Le chevalier l'a remercié : il glisse l'anneau à son doigt, la ceinture autour de sa taille. Le serviteur n'a rien ajouté et Eliduc ne lui a rien demandé de plus, se contentant de lui faire un don. Mais le chambellan refuse et s'en va rejoindre sa maîtresse, qu'il trouve dans sa chambre. De la part d'Eliduc il la salue et la remercie de son présent. « Allons, dit-elle, ne me cache rien ! Veut-il me donner son amour ? – Je le

crois. Ce chevalier n'est pas frivole, je le trouve
sage et courtois, car il sait bien cacher ses sentiments. Je l'ai salué de votre part et lui ai offert
vos cadeaux. Il a mis votre ceinture autour de sa
taille et l'anneau à son doigt. Je n'ai rien dit de
plus et lui non plus. – Mais les a-t-il reçus comme
des gages d'amour ? Sinon, me voilà trahie dans
mon espoir ! – Par ma foi, je ne sais pas. Mais
écoutez ce que je vais vous dire : s'il ne vous
voulait pas beaucoup de bien, il n'aurait pas
accepté vos cadeaux. – Tu parles à la légère. Je
sais bien qu'il ne me hait pas : je ne lui ai jamais
fait d'autre mal que de l'aimer passionnément ! Si
malgré tout il veut me haïr, il mérite bien la mort.
Jusqu'à ce que je puisse lui parler, je ne veux plus
rien lui demander par ton entremise ou celle d'un
autre. Je veux lui expliquer moi-même comme son
amour me fait souffrir. Mais je ne sais pas s'il
reste ici. – Dame, répond le chambellan, le roi l'a
pris à son service pour un an en lui faisant prêter
serment de loyauté. Vous aurez donc tout le loisir
de révéler vos sentiments. » En apprenant
qu'Eliduc restait, la jeune fille se réjouit fort, tout
heureuse de ce long séjour.

Mais elle ne savait rien de la douleur qu'il
endurait depuis qu'il l'avait vue. Sa seule joie et
son seul plaisir étaient désormais de penser à elle.
Il se tenait pour bien infortuné car il avait promis
à sa femme, avant son départ, de n'aimer qu'elle.
Et voilà son cœur prisonnier ! Il veut rester loyal
mais ne peut s'empêcher d'aimer la demoiselle
Guilliadon, qui est si belle, de désirer la voir et lui

parler, l'embrasser et la serrer dans ses bras. Mais jamais il ne cherchera à obtenir un amour qui puisse le déshonorer, parce qu'il doit fidélité à sa femme, mais aussi parce qu'il est au service du roi. Eliduc est en grand tourment. Il monte à cheval sans tarder et appelle ses compagnons : il veut aller au château pour parler au roi. Il verra peut-être la jeune fille : c'est là la vraie raison de sa visite. Le roi vient de se lever de table et d'entrer dans l'appartement de sa fille. Il commence à jouer aux échecs contre un chevalier d'outre-mer placé en face de lui, qui devait enseigner le jeu à la fille du roi. Eliduc s'avance ; le roi l'accueille chaleureusement, le fait asseoir à ses côtés et appelle sa fille en lui disant : « Demoiselle, vous devriez lier connaissance avec ce chevalier et le traiter avec honneur car sur cinq cents, il n'en est pas de meilleur. » Dès qu'elle entend ces recommandations de son père, la jeune fille, toute joyeuse, se lève et appelle Eliduc : ils s'assoient à l'écart. Tous deux sont profondément épris mais elle n'ose pas prendre la parole et lui a peur de lui parler ; il se contente de la remercier du présent qu'elle lui a envoyé : jamais cadeau ne lui a été si précieux. Elle répond au chevalier qu'elle en est très heureuse : si elle lui a envoyé l'anneau et la ceinture, c'est qu'elle lui a fait don de sa personne. Elle l'aime d'un amour si fort qu'elle veut faire de lui son époux. Et si elle ne peut pas l'épouser, qu'il sache bien que jamais elle n'en épousera un autre. À lui de lui ouvrir son cœur en retour ! « Dame, dit-il, je vous suis grandement reconnaissant de votre amour, qui me comble de joie. J'ai toutes les raison d'être heureux en voyant que vous m'estimez tant. Et je ne demeurerai pas en reste. Je dois rester un an auprès du roi : je lui en ai prêté le serment et pour rien au monde je ne le quitterai avant la fin de la guerre. Puis je retournerai dans mon pays, si vous me donnez mon congé, car je ne veux pas rester ici. – Ami, répond la jeune fille, grand merci de ces paroles ! Vous êtes si sage et si courtois que d'ici là vous aurez bien décidé ce que vous voulez faire de moi. Je vous aime plus que tout et me fie complètement à vous ! » Après ces promesses, ils n'en ont pas dit davantage. Eliduc retourne dans son logis, plein de joie : il a agi comme il convenait. Il peut parler souvent avec son amie : leur amour est immense. Il a si bien conduit la guerre qu'il a fait prisonnier l'ennemi du roi et libéré tout le royaume. Tous louent sa valeur, sa sagesse et sa générosité. Tout lui a vraiment réussi !

Pendant ce temps, son suzerain avait envoyé de chez lui trois messagers à sa recherche. Il était accablé de malheurs et d'épreuves, perdait peu à peu tous ses châteaux, voyait sa terre ravagée. Il s'était bien souvent repenti de s'être séparé d'Eliduc : c'était sur la foi d'un mauvais conseil, qu'il avait payé cher. Mais les traîtres qui avaient accusé et calomnié Eliduc étaient maintenant chassés du pays et bannis à jamais. Dans sa grande détresse, il faisait donc appel à son vassal et le conjurait, au nom du serment prêté le jour de l'hommage, de venir à son aide, car il en avait grand besoin. À cette nouvelle, Eliduc souffre cruellement, car il aime éperdument la jeune fille et elle lui rend passionnément son amour. Mais jamais ils ne se sont rendus coupables de la moindre folie ; leur liaison se résume à de tendres entretiens et à des échanges de beaux cadeaux : voilà comment ils se manifestent leur amour. Elle n'a qu'un désir et qu'un espoir, l'avoir tout à elle et le garder auprès d'elle, si elle en est capable : elle ne sait pas qu'il est marié. « Hélas, se dit-il, j'ai mal agi ! Je suis depuis trop longtemps dans ce pays, que j'ai vu pour mon malheur ! J'y suis devenu éperdument amoureux d'une jeune fille, Guilliadon, la fille du roi, et elle s'est éprise de moi. Puisqu'il me faut la quitter, l'un de nous devra en mourir, les deux peut-être. Et pourtant je dois m'en aller : mon suzerain m'a écrit pour me rappeler, en me conjurant au nom de mon serment ; et ma femme également m'a fait prêter serment ! Il me faut prendre une décision ! Il m'est impossible de rester. Il me faut absolument partir ! Épouser mon amie, la religion chrétienne ne me le permettrait pas. Ma situation est désespérée de tous les côtés ! Dieu, que la séparation est cruelle ! Mais quelles qu'en soient les conséquences, je ferai toujours droit aux vœux de mon amie, j'accomplirai sa volonté et agirai suivant ses conseils. Le roi, son père, jouit d'une paix durable et je ne pense pas qu'on lui fasse la guerre désormais. En raison de la détresse de mon suzerain, je demanderai mon congé avant le jour fixé pour la fin de mon séjour auprès du roi. J'irai

parler à la jeune fille et lui expliquer ma situation :
elle me dira ce qu'elle désire et je lui obéirai de
mon mieux. »

Sans plus tarder, le chevalier s'en va prendre
congé du roi en lui expliquant ce qui lui arrive : il
lui montre et lui lit la lettre que son seigneur lui a
envoyée pour l'appeler à son secours. Le roi, en
entendant cet appel, comprend qu'Eliduc ne res-
tera pas et s'en désole. Il lui offre une grande
partie de ses biens, le tiers de son héritage, met
son trésor à sa disposition pour le convaincre de
rester ; il promet de faire en sorte qu'Eliduc n'ait
toujours qu'à se louer de lui. « Au nom de Dieu,
répond Eliduc, pour cette fois, mon seigneur est
dans une telle détresse et m'a lancé un appel de si
loin que j'irai à son secours : je ne puis absolument pas rester. Mais si vous avez besoin de mes
services, je me ferai un plaisir de revenir auprès de
vous avec un grand renfort de chevaliers. » Le roi
lui donne donc amicalement congé avec force
remerciements et met à sa disposition tout ce qu'il
possède : or et argent, chiens et chevaux et les plus
beaux vêtements de soie. Eliduc se sert avec
modération et lui dit avec courtoisie qu'il irait
volontiers parler à sa fille, avec sa permission. Le
roi accepte aussitôt et envoie un écuyer ouvrir la
porte de l'appartement. Eliduc va parler à la jeune
fille qui, dès qu'elle le voit, l'appelle et le salue
mille fois. Il lui demande conseil et lui expose
rapidement sa situation. Mais avant même qu'il ait
achevé et qu'il ait pu prendre ou demander son
congé, elle perd toutes ses couleurs et s'évanouit

de douleur. Eliduc se désespère de la voir ainsi s'évanouir. Il lui baise la bouche en pleurant de tendresse, la prend dans ses bras et la serre contre lui jusqu'à ce qu'elle revienne à elle. « Au nom de Dieu, dit-il, ma douce amie, laissez-moi un peu vous parler ! Vous êtes ma vie et ma mort, vous êtes mon seul réconfort. Je vous demande conseil à cause de l'engagement qui nous lie. C'est la nécessité qui m'appelle dans mon pays et j'ai déjà pris congé de votre père ; mais je respecterai votre volonté, quelles qu'en soient les conséquences. – Emmenez-moi donc avec vous, puisque vous ne voulez pas rester ! Sinon je me tuerai car j'aurai perdu à jamais ma joie et mon bonheur ! » Eliduc, qui l'aime tendrement, lui répond doucement : « Belle amie, je suis absolument lié par mon serment à votre père, jusqu'à la fin du délai fixé, et si je vous emmenais avec moi, ce serait le trahir. Mais je vous jure et vous garantis en toute loyauté que si vous consentez à me donner congé, m'accorder un délai et fixer le jour où vous voulez me voir revenir, rien au monde ne pourra me retenir, pourvu que je sois vivant et en bonne santé. Ma vie est toute entre vos mains ! » La jeune fille comprend la force de l'amour d'Eliduc, lui accorde un délai et lui fixe un jour pour revenir la chercher. La séparation est douloureuse : ils échangent leurs anneaux d'or et s'embrassent tendrement.

Eliduc fait route vers la mer : le vent est favorable, la traversée est rapide. Son seigneur est plein de joie de le voir revenir, tout comme ses amis, ses parents et tous les gens du pays, et plus que tous, sa noble épouse, si belle, si sage et si vertueuse. Mais possédé par son amour, il est toujours sombre ; rien de ce qu'il voit ne peut lui donner joie ni plaisir : c'est qu'il ne pourra trouver la joie qu'en revoyant son amie. Il cache donc ses sentiments et sa femme, affligée, ne comprend pas la raison de son attitude et se lamente de son côté. Elle ne cesse de lui demander s'il a entendu quelqu'un l'accuser d'avoir commis une faute pendant qu'il était à l'étranger ; dans ce cas, elle est prête à s'en justifier devant ses hommes, quand il le souhaitera. « Dame, répond-il, je ne vous accuse d'aucune faute. Mais dans le pays où j'ai séjourné j'ai prêté le serment au roi de revenir auprès de lui car il a grand besoin de moi. Si la paix revenait sur les terres du roi mon seigneur, je ne resterais pas huit jours de plus. Bien des tourments m'attendent avant de pouvoir retourner là-bas et d'ici ce retour, rien de ce que je vois ne pourra me réjouir car je ne veux pas manquer à ma parole. » Alors la dame laisse là la conversation. Eliduc demeure donc près de son seigneur et lui prodigue une aide précieuse. Le roi se guide sur ses conseils et lui confie la garde de toute sa terre. Mais le jour fixé par la jeune fille approche. Alors Eliduc s'est chargé de conclure la paix et de réconcilier tous les ennemis. Puis il s'est préparé au départ et a choisi ses compagnons de voyage : seulement deux neveux qu'il aimait beaucoup, l'un de ses chambellans (celui qui était dans le secret et avait servi de messager) et ses écuyers ;

il n'avait pas envie d'en emmener d'autres. À tous ceux-là il fait prêter le serment de garder le secret. Il prend la mer sans plus attendre.

Les voilà vite de l'autre côté et Eliduc arrive dans le pays où il est le plus désiré. Habilement, il se loge loin des ports pour éviter d'être vu et reconnu. Il donne ses instructions à son chambellan, qu'il envoie à son amie pour lui dire qu'il est arrivé, fidèle à sa promesse : cette nuit, quand il fera sombre, qu'elle sorte de la ville avec le chambellan ; lui-même viendra à sa rencontre. Le chambellan, qui a changé de vêtements, s'en va à pied, sans se presser, droit à la cité où résidait la fille du roi. Il fait si bien qu'il entre dans sa chambre et salue la jeune fille en lui disant que son ami est arrivé. Elle était triste et abattue, mais à cette nouvelle, elle se met à pleurer doucement de joie et embrasse longuement le messager. Il lui explique qu'à la tombée du jour, il faudra qu'elle parte avec lui. Ils passent donc la journée à organiser leur départ. Et la nuit, quand il fait bien sombre, ils quittent la ville, le jeune homme et la fille du roi, seuls tous les deux. Elle a très peur d'être vue. Elle porte un vêtement de soie finement brodé d'or, sous un manteau court. À une portée d'arc de la porte de la ville se trouvait un bois bien clôturé. Devant la palissade les attendait son ami, venu à sa rencontre. Le chambellan amène la jeune fille et Eliduc descend de cheval pour l'embrasser. Quelle joie à ces retrouvailles ! Il la fait monter à cheval, monte lui-même en selle, saisit les rênes et part au galop avec elle. Au port de Totness, ils montent à bord du navire : il n'y avait que ses hommes et son amie Guilliadon.

Le vent était favorable et le temps paraissait calme. Mais au moment d'aborder, la tempête se lève en mer et un vent contraire les rejette loin du port ; la vergue est en pièces, les voiles déchirées. Ils invoquent Dieu avec ferveur, ainsi que saint Nicolas et saint Clément, et supplient Notre-Dame sainte Marie d'intercéder pour eux auprès de son fils afin qu'il les préserve de la mort et leur permette de venir au port. Ils dérivent ainsi le long du rivage, tantôt plus près, tantôt plus loin : le naufrage semble inévitable. L'un des matelots s'écrie alors : « Que faisons-nous ? Seigneur, vous avez ici près de vous celle qui cause notre perte. Jamais nous ne toucherons terre ! Vous avez une loyale épouse et vous voulez en outre en amener une autre, contre Dieu et contre la religion, contre le droit et contre la foi jurée ! Laissez-nous la jeter à la mer : alors nous pourrons aborder[1] ! » Eliduc, à ces mots, est presque fou de rage : « Fils de putain, félon, misérable traître, tais-toi ! » S'il avait pu laisser son amie, il lui aurait fait payer cher ses paroles. Mais il la tenait dans ses bras et la réconfortait de son mieux. Car aux souffrances de la tempête s'ajoutait celle d'apprendre que son ami avait dans son pays une autre épouse qu'elle. Elle s'affaisse contre le visage d'Eliduc, évanouie,

---

1. La croyance selon laquelle la présence à bord d'un coupable provoque une tempête qui ne s'apaisera qu'avec la mort de celui-ci est un motif folklorique bien attesté : S. Thompson, *Motif Index* S.264.1 (« Man thrown overboard to placate Storm »).

livide et sans couleurs et demeure ainsi évanouie sans revenir à elle, sans pousser un soupir. Il la prend dans ses bras et, persuadé qu'elle est morte, s'abandonne à sa douleur. Mais il se relève pour se précipiter sur le matelot et lui donner un coup d'aviron si violent qu'il le renverse à ses pieds. Puis il le prend par les pieds et le jette par-dessus bord : les vagues emportent le corps. Après l'avoir jeté à l'eau, il prend le gouvernail et pilote si bien le navire qu'il vient au port et aborde.

Quand ils ont accosté, il fait descendre la passerelle et jeter l'ancre. Mais la jeune fille était toujours évanouie, donnant toutes les apparences de la mort. Accablé de douleur, Eliduc aurait voulu mourir sur-le-champ avec elle. Il demande à chacun de ses compagnons de le conseiller et de lui dire où transporter la jeune fille ; car il ne veut pas la quitter avant qu'elle soit ensevelie avec tous les honneurs dans la terre bénie d'un cimetière : elle était fille de roi et avait droit à des funérailles magnifiques. Mais ses amis, éperdus, ne savent que lui conseiller. Alors Eliduc cherche un endroit où il pourra la transporter. Son château était près de la mer, il pouvait y être pour l'heure du repas. Tout autour s'étendait une forêt de trente lieues de long où vivait depuis quarante ans un saint ermite, près d'une chapelle. Il lui avait souvent parlé. Il décide de lui amener la jeune fille, qu'il enterrera dans la chapelle. Puis il donnera une partie de sa terre pour fonder une abbaye avec un couvent de moines, de religieuses ou de chanoines qui prieront pour elle sans relâche : que Dieu ait pitié d'elle ! Il fait amener ses chevaux et ordonne à tous de monter en selle. Mais il leur fait d'abord jurer de ne rien révéler. Il porte son amie devant lui, sur son palefroi. Ils sont allés tout droit dans la forêt. À la chapelle, ils ont appelé et frappé à la porte mais personne n'est venu leur répondre ni leur ouvrir la porte. Alors Eliduc fait entrer l'un de ses hommes pour qu'il leur en ouvre la porte. Le bon ermite, le saint homme était mort depuis huit jours : il trouve la tombe toute fraîche et en éprouve un profond chagrin. Ses compagnons voulaient creuser ici la tombe de son amie mais il leur ordonne de reculer en leur disant : « Il n'en est pas question ! Je veux d'abord demander conseil aux sages du pays pour savoir comment je peux ennoblir ce lieu en y construisant une abbaye ou une église. Nous la déposerons devant l'autel en la recommandant à Dieu. » Il ordonne que l'on apporte les vêtements de la morte, dont on lui fait aussitôt un lit ; on l'y étend et on la laisse pour morte. Mais au moment de la quitter, Eliduc croit mourir de chagrin. Il lui embrasse les yeux et le visage. « Belle amie, dit-il, à Dieu ne plaise que je continue à porter les armes et à vivre en ce monde ! Belle, c'est pour votre malheur que vous m'avez vu ! Douce et chère amie, c'est pour votre malheur que vous m'avez suivi ! Belle, vous seriez reine maintenant, si vous ne m'aviez aimé de cet amour loyal et parfait ! Mon cœur est plein de douleur ! Le jour où je vous ensevelirai, je me ferai moine et chaque jour, sur votre tombe, j'essaierai d'apaiser ma peine ! » Puis il quitte la jeune fille et referme la porte de la chapelle.

Il envoie un messager chez lui pour annoncer à sa femme qu'il revient, mais qu'il est las et épuisé. Tout heureuse de cette nouvelle, elle se prépare pour aller à sa rencontre. Elle accueille son époux avec tendresse mais y gagne peu de joie, car il ne lui manifeste aucune affection, n'a pas une parole de tendresse. Nul n'osait lui adresser la parole. Il ne bougeait pas de ses terres. Il allait écouter la messe de bon matin puis se mettait en route, seul, gagnait la forêt et la chapelle où gisait la demoiselle. Il la retrouvait, toujours évanouie : elle ne revenait pas à elle et ne respirait pas. Mais il s'émerveillait de lui voir conserver ses couleurs et rester blanche et vermeille : elle était seulement un peu plus pâle. Il pleurait amèrement et priait pour le repos de l'âme de Guilliadon. Après sa prière, il regagnait sa demeure.

Un jour, à la fin de la messe, sa femme le fait épier par l'un de ses serviteurs à qui elle promet un riche présent, des chevaux et des armes, pour qu'il suive de loin son époux et découvre où il se rend. Le serviteur, obéissant, suit Eliduc sans se faire voir quand il entre dans la forêt. Il l'a bien vu entrer dans la chapelle, il l'a entendu exprimer sa douleur. Avant même qu'Eliduc ne quitte la chapelle, il est de retour auprès de sa dame, lui raconte tout ce qu'il a entendu : l'explosion de douleur à laquelle s'est livré son époux dans l'ermitage. La dame, bouleversée, déclare : « Nous allons y aller et fouiller tout l'ermitage ! Mon époux doit, je crois, partir en voyage et se rendre à la cour du roi pour lui parler. L'ermite est mort il y a quelque temps : je sais bien qu'il l'aimait beaucoup, mais ce n'est certes pas pour lui qu'il manifesterait une telle douleur ! » Pour cette fois, elle en reste là. Le jour même, après midi, Eliduc se rend auprès du roi. La dame emmène son serviteur, qui la guide jusqu'à l'ermitage. En entrant dans la chapelle, elle voit, sur le lit, la jeune fille, qui ressemble à une rose fraîche éclose. Elle enlève la couverture, voit son corps gracieux, les bras longs, les mains blanches aux doigts minces, longs et pleins. Elle sait maintenant la vérité, la cause du deuil de son mari. Elle appelle son serviteur et lui montre ce prodige. « Vois-tu, dit-elle, cette femme à la beauté de pierre précieuse ? C'est l'amie de mon époux, c'est pour elle qu'il souffre tant. Par ma foi, je n'en suis pas surprise, quand je vois la beauté de la disparue. Elle m'inspire tant de pitié et d'affection que je ne connaîtrai plus jamais la joie ! » Elle se met alors à pleurer et à se lamenter sur le sort de la jeune fille, assise en larmes sur le lit.

Mais voici qu'arrive en courant une belette, de dessous l'autel. Le serviteur, la voyant passer sur le corps, la tue d'un coup de son bâton et la jette au milieu de la chapelle. Un moment après, accourt la compagne de la belette, qui, voyant l'animal étendu, tourne autour de sa tête en la poussant souvent de sa patte. Elle voit qu'elle ne peut pas la faire se lever et donne toutes les apparences de la douleur. Puis elle sort de la chapelle et s'en va dans la forêt à la recherche d'herbes médicinales. De ses dents elle cueille une fleur toute vermeille, revient vite sur ses pas la mettre dans la bouche de sa compagne, victime du serviteur ; et voici l'animal aussitôt ressuscité[1] ! La dame a tout vu. Elle crie au serviteur : « Retiens-la ! Lance ton bâton, mon ami ! il ne faut pas la laisser partir ! » Il lance son bâton et atteint la belette qui laisse tomber la fleur. La dame se lève, s'en saisit, revient vite sur ses pas pour mettre la fleur dans la bouche de la belle jeune fille. Peu après, celle-ci revient à elle et se met à soupirer, ouvre les yeux et dit : « Dieu, comme j'ai longtemps dormi ! » En l'entendant parler, la dame rend grâces à Dieu et lui demande qui elle est. La jeune fille lui répond : « Dame, je suis du royaume de Logres, fille d'un roi du pays. J'ai tendrement aimé un chevalier, Eliduc, le vaillant guerrier, qui m'a amenée ici avec lui. Il a commis un péché en me trompant : il avait une épouse légitime mais il ne me l'a pas dit et n'y a jamais fait la moindre allusion. Quand j'ai entendu parler de sa femme, j'ai tant souffert que je me suis évanouie. Il m'a abandonnée lâchement, dans ma détresse, en terre étrangère. Il m'a trahie, je ne comprends pas pourquoi. Elle est bien folle, la femme qui fait

---

1. Cette croyance est attestée par les bestiaires : « La belette déplace souvent ses petits d'un endroit à l'autre, afin que personne ne puisse découvrir leur présence. Et si elle les trouve morts, beaucoup de gens disent qu'elle les ressuscite, mais ils sont incapables de dire comment ou à l'aide de quel médicament » (*Le Livre du Trésor* de Brunetto Latini, trad. G. Bianciotto dans *Bestiaires du Moyen Âge*, Paris, Stock, 1980, p. 220).

confiance à un homme ! – Belle amie, lui répond
la dame, nulle créature au monde ne peut plus lui
donner de joie : on peut vous le dire en toute
vérité. Il vous croit morte et se désespère ; chaque
jour il est venu vous contempler et vous a trouvée
évanouie, je crois. Je suis son épouse, c'est vrai, et
mon cœur souffre pour lui. Il montrait tant de douleur que j'ai voulu savoir où il allait ; je l'ai suivi
et je vous ai trouvée. Mais vous êtes vivante et
cela me comble de joie. Je vais vous emmener
avec moi et vous rendre à votre ami. Je veux lui
redonner sa liberté et puis je prendrai le voile. »

La dame a donc réconforté la jeune fille et l'a
emmenée avec elle. Elle a envoyé son serviteur à
la recherche de son mari et celui-ci a fini par le
trouver. Il le salue courtoisement et lui raconte
l'aventure. Sans attendre ses compagnons, Eliduc
monte à cheval et revient le soir même dans sa
demeure. En retrouvant son amie vivante, il
remercie tendrement sa femme. Il est maintenant
bien heureux : de sa vie il n'a connu pareille allégresse. Il ne cesse d'embrasser la jeune fille et elle
lui rend ses baisers tendrement : ils s'abandonnent
tous deux à leur joie. La dame, voyant leur attitude, s'adresse à son mari. Elle lui demande la
permission de se séparer de lui : elle veut devenir
religieuse et servir Dieu. Qu'il lui donne une
partie de son domaine pour qu'elle y fonde une
abbaye et qu'il épouse celle qu'il aime tant ! Car
il est contraire à la morale et aux usages de garder
deux épouses ; et la religion ne saurait l'admettre.
Eliduc consent à tout et lui donne volontiers sa

permission : il fera tout ce qu'elle voudra et lui donnera une partie de sa terre.

Près du château, dans la forêt, sur la chapelle et l'ermitage, elle a fait bâtir son église et dresser les bâtiments du couvent. On ne ménage ni le terrain ni l'argent : elle aura tout ce qu'il lui faudra. Quand tout est prêt, elle prend le voile, se retire avec trente religieuses et établit la règle de son ordre. Eliduc a épousé son amie : le jour des noces, des fêtes somptueuses ont marqué la cérémonie. Ils ont vécu ensemble pendant de longues années, s'aimant toujours d'un parfait amour, distribuant aumônes et bienfaits, jusqu'au jour où ils se sont donnés à Dieu. De l'autre côté du château, Eliduc a mis tous ses soins à faire bâtir une église, pour laquelle il a donné la plus grande partie de sa terre, tout son or et son argent : il y a installé des vassaux à lui et d'autres hommes de la plus grande piété pour respecter la règle de ce nouveau couvent. Quand tout a été prêt, il les a rejoints sans plus attendre et a fait vœu de servir Dieu tout-puissant. À sa première épouse il a confié la seconde, qu'il aimait tant ; et elle l'a reçue comme sa sœur, avec les plus grands égards. Guildeluec a encouragé Eliduc à se mettre au service de Dieu, lui enseignant la règle de son ordre. Les deux femmes priaient Dieu pour le salut de leur ami et lui priait pour elles en retour. Il leur envoyait des messagers pour avoir de leurs nouvelles et s'assurer que chacune avait trouvé le réconfort. Tous les trois ne pensaient plus qu'à aimer Dieu de tout leur cœur et eurent une sainte mort, par la grâce de Dieu, qui seul connaît l'avenir.

Pour perpétuer le souvenir de la triple aventure, les anciens Bretons, en gens courtois, composèrent ce lai, afin de sauver l'histoire de l'oubli.

Table

PAPIER À BASE DE
FIBRES CERTIFIÉES

Le Livre de Poche s'engage pour
l'environnement en réduisant
l'empreinte carbone de ses livres.
Celle de cet exemplaire est de :
250 g éq. CO_2
Rendez-vous sur
www.livredepoche-durable.fr

Composition réalisée par COMPOFAC - PARIS

Achevé d'imprimer en décembre 2013, en France sur Presse Offset par
Maury Imprimeur – 45330 Malesherbes
N° d'imprimeur : 186029
Dépôt légal 1ʳᵉ publication : mars 1998
Édition 05 – décembre 2013
LIBRAIRIE GÉNÉRALE FRANÇAISE – 31, rue de Fleurus – 75278 Paris Cedex 06